ONDE ESTAREMOS EM 2200?

ONDE ESTAREMOS EM 2200?

UMA VIAGEM PELA EXPLORAÇÃO ESPACIAL

SCHWARZA

Copyright © Schwarza, 2020
Copyright © Editora Planeta do Brasil, 2020
Todos os direitos reservados.

Preparação: Departamento editorial da Editora Planeta do Brasil
Revisão: Elisa Martins e Fernanda Guerriero Antunes
Revisão técnica: Ramachrisna Teixeira, professor do Instituto de Astronomia, Geofísica e Ciências Atmosféricas da USP
Projeto gráfico: Tereza Bettinardi
Diagramação: Maria Julia Moreira/Tereza Bettinardi
Capa: Tereza Bettinardi

Dados Internacionais de Catalogação na Publicação (CIP)
Angélica Ilacqua CRB-8/7057

> Schwarza
> Onde estaremos em 2200: uma viagem pela exploração espacial / Schwarza.
> São Paulo: Planeta, 2020.
> 208 p.
>
> ISBN 978-65-5535-063-0
>
> 1. Espaço exterior - Exploração 2. Navegação espacial 3. Astronomia I. Título

22-2002　　　　　　　　　　　　　　　　CDD 629.4

Índice para catálogo sistemático:
1. Espaço exterior - Exploração

2020
Todos os direitos desta edição reservados à:
EDITORA PLANETA DO BRASIL LTDA.
Rua Bela Cintra, 986 — 4º andar
Consolação — São Paulo SP
01415-002 — Brasil
www.planetadelivros.com.br
faleconosco@editoraplaneta.com.br

INTRODUÇÃO:
O ENSAIO IMAGINATIVO 8

1910-1920:
COMO IR ALÉM DAS NUVENS? 12
　Robert H. Goddard 14

1920-1930:
A ASCENSÃO DOS FOGUETES 16

1930-1940:
"ESQUADRÃO SUICIDA" 20
　O foguete V2 23

1940-1950:
SUPERANDO LIMITES 24
　Quebrando a barreira
　do som 25

1950-1960:
A CORRIDA ESPACIAL 28

1960-1970:
UM GRANDE PASSO PARA
A HUMANIDADE... 34
　Saturno V 37
　As "computadores"
　da NASA 42
　Missões Venera e Mariner 47

1970-1980:
BON VOYAGE 50
　Buraco negro 53
　Missão Voyager 55
　Os Discos Dourados 58
　Pioneer 60

1980-1990:
OS ÔNIBUS ESPACIAIS 62
　A primeira nave reutilizável da
　História 64
　A explosão da Challenger,
　o desastre que mudaria a NASA
　para sempre 69
　Cometa Halley 72

1990-2000:
OLHANDO CADA VEZ
MAIS LONGE 76
　A visão além do alcance 77
　A sonda Galileu 81
　O cometa Shoemaker-Levy 9 82
　Mars Pathfinder 84

**2000-2010:
MARTE É CONQUISTADO
POR ROBÔS** 86
   O primeiro turista no
espaço 88
   O desastre com o ônibus
espacial Columbia 89
   Queda da Estação
Espacial Mir 93
   O primeiro voo espacial
tripulado chinês 96
   Novos exploradores
marcianos 96
   SpaceShipOne 100
   A Missão Cassini 100
   Indo além do
Sistema Solar 104

**2010-2019:
O ESPETÁCULO DA SPACEX** 108
   O homem que sonhava
com Marte 110
   Missão Messenger 111
   Fim do Programa dos
Ônibus Espaciais 116
   Curiosity 118

   Indo aonde nenhum homem
jamais esteve 121
   Missão Gaia 123
   Um novo horizonte 128
   Destino: Plutão 130
   Além de Plutão 131
   Juno chega a Júpiter 133
   Rodas? No espaço você
não irá precisar de rodas 137

**DÉCADA DE 2020:
DE VOLTA PARA A LUA** 140
   Europa 142
   Retorno à Lua 143
   E a SpaceX? 147

**ONDE ESTAREMOS
NOS PRÓXIMOS 100,
200, 300 ANOS?** 156
   Destino: Proxima Centauri 157
   E Marte? 161
   Uma libélula sobrevoando
um Titã 164
   O futuro 169

AGRADECIMENTOS 183
FONTES DE PESQUISA 186

INTRODUÇÃO
O
ENSAIO
IMAGINATIVO

NO MOMENTO EM QUE EU ESCREVO A PRIMEIRA PÁGINA deste livro, me encontro em um avião em direção ao Rio de Janeiro para cobrir a Mostra Brasileira de Foguetes (MOBFOG), uma competição entre alunos do ensino médio e superior promovida pela Olimpíada Brasileira de Astronomia e Astronáutica (OBA), da qual um dos objetivos é premiar a equipe que conseguir lançar o foguete mais alto em direção ao céu.

Olhando pela janela do avião, percebo ruas, prédios, carros... tudo muito pequeno. Desta perspectiva, o mundo não parece tão grande. A impressão que tenho é a de que posso percorrê-lo de ponta a ponta (apesar de mal ter fôlego depois de subir 10 lances de escada, mas estou trabalhando para melhorar isso, juro!).

Explorar e superar seus limites territoriais é da natureza humana. Criamos carros e aviões para encurtar as distâncias. A Terra tem aproximadamente 13,4 mil km de diâmetro, e hoje em dia podemos usar um avião para visitar lugares a velocidades que seriam impossíveis de alcançar se tivéssemos nascido no século 19, por exemplo. Toda essa praticidade realmente fez o mundo ficar menor para a nossa ânsia de exploração, e somos uma espécie que, pelo bem e pelo mal, deseja conhecer cada vez mais. O horizonte não era mais suficiente para o nosso campo de visão, que aumentava exponencialmente conforme nossos instrumentos de observação evoluíam. Passamos a direcionar nossa atenção para além das nuvens. No céu, o espaço era o novo cenário a ser explorado.

Nossas primeiras aventuras nesse ambiente misterioso e hostil foram com a imaginação, ferramenta importante para o desenvolvimento humano, pois é o ensaio para grandes ideias e conquistas.

O francês Júlio Verne, em seu livro *Da Terra à Lua*, de 1865, descreve uma missão até a Lua. No tempo em que viveu, a ideia de foguetes ainda não era uma realidade. Verne imaginou um canhão, o Columbiad, como o meio de transporte que viabilizou a conquista de nosso satélite natural. Cento e quatro anos depois veríamos a Missão Apollo 11 finalmente se tornar realidade, o que mentes criativas como a de Verne e de muitos outros artistas só podiam imaginar. O homem pisou em solo lunar com direito a transmissão televisiva, uma aventura que só foi possível graças ao empenho de muitas pessoas. Algumas perderam suas vidas para que pudéssemos dar esse pequeno passo para um homem, mas grande para a humanidade. Nunca havíamos chegado tão longe.

Em nossa breve história de exploração espacial, conseguimos passear com nossas sondas por todos os planetas do Sistema Solar, sem contar algumas luas e até cometas e asteroides. Suas câmeras se tornaram os olhos da humanidade em ambientes que fisicamente ainda não podemos estar. Em determinados casos, conseguimos até deixar nossos equipamentos em alguns desses objetos.

O programa soviético Venera, pioneiro na exploração de Vênus, foi o primeiro equipamento feito por humanos a pousar e enviar dados de outro planeta para a Terra (por pouco tempo, pois ele acabou sendo destruído pelo calor desse planeta, que é o detentor da maior temperatura do Sistema Solar – nem as garras do Wolverine sairiam intactas!).

Tivemos a já citada Missão Apollo, que permitiu que deixássemos nossas pegadas nesta companheira de longa data da Terra.

Pegada do astronauta Buzz Aldrin em solo lunar fotografada com uma câmera de 70 mm durante a Missão Apollo 11.

Fonte: Image Science and Analysis Laboratory, NASA-Johnson Space Center

Ainda na Guerra Fria, americanos e soviéticos enviavam sondas espaciais a Marte, numa trajetória de acertos e tropeços. Hoje temos certo nível de conhecimento sobre como o Planeta Vermelho se parece, e, no momento em que escrevo este texto, acabamos de colocar outra sonda lá, a InSight, que irá perfurar o solo para enviar dados sísmicos e de temperatura do planeta, a fim de entendermos o que acontece em seu interior.

A Terra se tornou pequena demais para a nossa curiosidade.

Neste livro, quero convidar você para um passeio pelos lugares onde a raça humana marcou presença (física e tecnologicamente) aqui no Sistema Solar. E assim como a imaginação de Júlio Verne rompeu os limites impostos pela tecnologia de seu tempo, vou tentar fazer uma projeção de para onde iremos nas próximas décadas, analisando o que empresas como SpaceX e Boeing ou agências como NASA, ESA, Roscosmos e JAXA estão planejando para o futuro.

Pode ser que alguns dos jovens que participarão dessa competição de foguetes no Rio de Janeiro estejam em uma das futuras missões para além da Terra. Quem nasceu hoje terá grandes chances de poder observar o início de uma exploração em Marte, ou mesmo de alguma lua de Júpiter.

Espero contar com a sua companhia nesta que é a maior aventura da raça humana desde as grandes navegações. Iremos fazer uma viagem cronológica pelas décadas de exploração espacial, conhecendo os desafios que foram superados, os fracassos ocorridos e as ideias para ir além de nosso quintal cósmico.

Tenha uma boa viagem!

1910–1920
COMO IR ALÉM DAS NUVENS?

TEREMOS COMO PONTO DE PARTIDA OS ANOS 1910, uma época em que muitos de nós estaríamos perdidos sem nossos celulares e computadores. Se a Uber já existisse naquela época, os motoristas teriam que se orientar pelos pontos cardeais e constelações, na falta de um GPS auxiliado por satélites.

Uma pessoa da década de 1910 não tinha muitas opções de entretenimento – talvez ficar tentando secar gelo. Brincadeiras à parte, a verdade é que ninguém ficou perdido ou entediado naquela época por não ter um celular, pois como poderiam sentir falta de algo que nem conheciam? Naquela época, as pessoas se divertiam muito com o rádio, algo que estava se popularizando bastante.

Em 1914, Henry Ford começou a bancar o desenvolvimento do que seria conhecido como linha de montagem em massa, e o automóvel trilhava o mesmo caminho do rádio, popularizando-se entre os que podiam pagar por aquilo, que era um luxo para poucos, algo equivalente a um último modelo de iPhone. Nada contra quem tem, mas não entra na minha cabeça gastar tanta grana num aparelho que faz basicamente o mesmo que outros fazem por um preço bem mais acessível, mas, enfim, se tem gente que gosta de uva-passa no arroz, então acredito que o ser humano é capaz de tudo.

E foi em 1914 que o arquiduque, herdeiro do trono austro-húngaro, Francisco Ferdinando (se você for fã da banda Franz Ferdinand, agora sabe de onde eles tiraram o nome) e sua esposa foram mortos por um ativista sérvio em Sarajevo, capital da Bósnia. Após o crime, o Império Austro-Húngaro culpou a Sérvia pelo assassinato e declarou guerra ao país. Esse foi o estopim para o que se tornou a Primeira Grande Guerra Mundial, que se estendeu por quatro anos bem difíceis.

Mas mesmo com tanta coisa acontecendo nesse início de século conturbado, cheio de inovações e conflitos, já havia pessoas olhando para cima, e o motivo não era torcicolo. Ainda não existiam meios de enviar algo para o espaço, mas a exploração espacial precisava de um pontapé inicial, certo?

ROBERT H. GODDARD

Também em 1914, Robert H. Goddard recebeu duas patentes dos Estados Unidos, uma delas para um foguete que utilizava combustível líquido, a outra para um foguete que possuía 2 estágios, e, desta vez, com combustível sólido.

Goddard era um visionário. Por conta própria, passou a realizar estudos sistemáticos sobre a propulsão fornecida por vários tipos de pólvora. Ele buscava métodos de fazer registros meteorológicos em altitudes impossíveis para balões, e foi nessa busca que desenvolveu suas teorias matemáticas de propulsão de foguetes.

Em um relatório publicado em 1920, Goddard já visualizava algo que até então Júlio Verne apenas fantasiou: a possibilidade de um foguete chegar até a Lua. Porém, ele tinha uma ideia um tanto violenta para seu primeiro contato com o satélite natural: explodir uma carga de pólvora para registrar sua chegada por lá. Goddard era o Michael Bay da ciência.

A imprensa não colocou muita fé nas ideias de Goddard de enviar um foguete até a Lua, ridicularizando-o. Por conta disso, o físico nunca viu a imprensa com bons olhos.

O que não se sabia, era que Robert H. Goddard estava na vanguarda de seu tempo, e seu nome ainda seria dado a um dos departamentos da maior agência espacial do mundo.

Na verdade, os chineses já faziam uso de foguetes no século 12, como armas que evoluíram dos fogos de artifício. Algum chinês, no meio de alguma comemoração, teve a "brilhante" ideia de mirar um foguete no amiguinho e *voilà*! Criaram uma arma!

Mas um russo chamado Konstantin Tsiolkovsky usou matemática e física para estudar e modelar a maneira como eles operavam, o que foi chamado de dinâmica dos foguetes.

Assim como Goddard, Tsiolkovsky foi um visionário e dedicava muito de seu tempo estudando como usar os foguetes para explorar e dominar o espaço. Em 1911, ele foi autor de investigações do espaço exterior pela Rocket Devices e, em 1914, pela Aims Of Astronauts.

1920–1930
A ASCENSÃO DOS FOGUETES

A DÉCADA DE 1920 FOI MARCADA POR UMA FORTE QUEDA na Bolsa de Valores de Nova York, que deu uma freada no crescimento econômico dos Estados Unidos, país que havia se tornado uma potência. A Europa ainda estava se recuperando das consequências da Primeira Guerra Mundial e o nazismo começava a dar seus primeiros passos.

Foi nessa época que o mundo viu nascer o primeiro personagem de desenho animado – e se o primeiro nome que lhe veio à mente foi o Mickey, você está errado. Eu me refiro ao Gato Félix. Mas convenhamos que o Mickey conseguiu se manter na memória popular de forma mais marcante. Ainda na área da cultura, tivemos a ascensão de artistas como Salvador Dalí e Charles Chaplin.

Nos anos 1920 foram realizadas as primeiras transmissões de rádio em terras tupiniquins e Tarsila do Amaral ainda pintava seus quadros por aí.

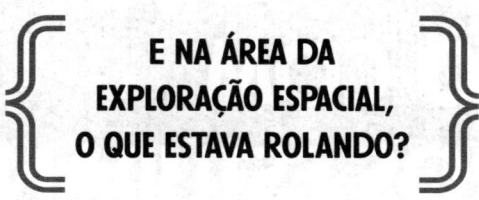

E NA ÁREA DA EXPLORAÇÃO ESPACIAL, O QUE ESTAVA ROLANDO?

Em 1923 foi fundada a Sociedade para Estudos das Viagens Interplanetárias na União Soviética. E anos depois, em 16 de março de 1926, Goddard obteve sucesso no lançamento de seu primeiro foguete com combustível líquido em Auburn, Massachusetts. Esse primeiro foguete conseguiu a proeza de atingir a altitude de mais de 12 km, em uma velocidade de 96 km/h.

Em sua autobiografia, Goddard diz que a inspiração para o feito surgiu quando ele ainda era criança, enquanto estava em uma cerejeira: "Eu imaginei como seria maravilhoso fazer algum dispositivo

EM 1929, UM GAROTO DE APENAS 17 ANOS CHAMADO WERNHER VON BRAUN SE JUNTOU AO VEREIN FUER RAUMSCHIFFAHRT, E FOI LÁ QUE, JUNTO COM OUTROS ESTUDANTES, LANÇOU SEU PRIMEIRO FOGUETE COM COMBUSTÍVEL LÍQUIDO.

que pudesse ir até mesmo em direção a Marte. Ao descer da árvore, eu era um menino diferente daquele que subiu. Pois a existência, finalmente, parecia muito intencional".

Em 1927 foi formada a *Verein für Raumschiffahrt* – garanto que, caso você não saiba alemão, irá inventar uma palavra na sua cabeça ao ler *Raumschiffahrt* –, que significa Sociedade para Viagens Espaciais, em que foram reunidos os maiores cientistas europeus com especialização em foguetes. No mesmo ano, os soviéticos começavam a discutir os mecanismos dos foguetes e efeitos orbitais, incluindo o estilingue gravitacional, algo muito importante para a exploração do espaço e sobre o qual irei comentar mais à frente.

Em 1929, um garoto de apenas 17 anos chamado Wernher von Braun se juntou à *Verein für Raumschiffahrt*, e foi lá que, junto com outros estudantes, lançou seu primeiro foguete com combustível líquido. Guarde bem o nome desse rapaz, ele será muito importante na maior missão rumo ao espaço da História.

Lendo sobre a trajetória de Wernher von Braun, que aos 17 anos já estava lançando foguetes, faço um paralelo entre ele e o jovem Schwarza de 17 anos, que não soltava foguetes, mas estava travado no mundo do mar em *Legend of Zelda: Ocarina of Time*.

Wernher von Braun.

Fonte: NASA/MSFC.

1930–1940
"ESQUADRÃO SUICIDA"

ESTAMOS NOS ANOS 1930, PERÍODO EM QUE FOI PUBLICA- da outra obra muito importante para a ficção científica, o livro *Admirável mundo novo*, de Aldous Huxley. E Charles Chaplin continuava a entreter o mundo com suas comédias.

Foi nessa década que o clássico *Branca de Neve e os sete anões* estreou nos cinemas, produzido pelos Estúdios Disney. A animação foi revolucionária por trazer, pela primeira vez, um longa-metragem de animação totalmente colorido.

No Brasil, Getúlio Vargas tornava-se presidente, em 1930, após a revolução que terminou com a República das Oligarquias. Tivemos a Revolução Constitucionalista de 1932, em São Paulo, um movimento das oligarquias paulistas contra o governo do então presidente Vargas, que mais tarde daria o Golpe do Estado Novo, com o qual centralizou o poder, exerceu o autoritarismo e perseguiu seus opositores.

Na ciência, em 1936, tivemos o advento do microscópio eletrônico, que trouxe uma revolução para o desenvolvimento da microbiologia. E em 1938 foi descoberta a fissão nuclear pelos pesquisadores Otto Hahn e Fritz Strassmann.

Foi uma década tumultuada, tivemos guerras e conflitos, como a Guerra do Chaco, entre a Bolívia e o Paraguai, e a Alemanha invadindo países como a Polônia e a Tchecoslováquia. Você já sabe aonde isso vai dar, né?

Nos anos 1930, o lance do foguete estava a todo vapor, era o *spinner* da época (a diferença era que não se vendiam foguetes no trem, ao contrário desse brinquedo giratório).

FOI EM 1931
QUE O PRIMEIRO
FOGUETE MOVIDO
POR COMBUSTÃO
LÍQUIDA FOI
LANÇADO COM
INTUITO MILITAR,
UM FEITO REALIZADO
PELOS ALEMÃES.

O FOGUETE V2

Foi em 1933 que se iniciaram os trabalhos na série de foguetes que dariam origem ao foguete V2. Dois anos depois, um homem franzino, Frank J. Malina, estudante de graduação na Caltech, e orientado pelo professor Theodore von Kármán, estaria se envolvendo com um projeto de foguetes de sondagem. Ele era fascinado pelo voo espacial desde os 12 anos de idade, quando morava na Tchecoslováquia e leu uma versão traduzida de *Da Terra à Lua*, de Júlio Verne. (Sim, essa publicação deixou muitas pessoas alucinadas... Putz, ok, reconheço, essa foi bem ruim mesmo.)

Durante toda essa loucura envolvendo ida ao espaço entre as décadas de 1920 e 1930, Malina devorou tudo o que encontrava na imprensa popular sobre foguetes e voos espaciais. Ele se juntou a mais 2 amigos e fundou a ambiciosa empresa Caltech Rocket Research Project, que logo envolveu outros estudantes talentosos, fazendo um trabalho pioneiro em propulsão de combustível sólido e líquido.

Por causa dos perigos de trabalhar com foguetes em laboratório, o grupo de Malina logo foi apelidado de "Esquadrão Suicida", o que acabou obrigando Von Kármán a aconselhá-los a realizar seus experimentos o mais longe possível do campus. Mas o "Esquadrão Suicida" não se intimidou com as limitações (acredito que essa falta de intimidação tenha originado o apelido "Suicida"), e em 1938 os estudos de Malina e seus amigos resultaram em trabalhos sólidos e vários documentos técnicos importantes.

Foi ainda em 1938 que, com uma guerra iminente, o exército americano se interessou pelo projeto da empresa envolvendo foguetes, com um potencial especial para unidades de *"jet-assisted-take off"*, que poderiam encurtar gradativamente decolagens para aviões de guerra com cargas pesadas. Então, o grupo de Malina fechou um contrato de 10 mil dólares com o Air Corps, o Corpo Aéreo do Exército dos Estados Unidos, para desenvolver JATOs.

1940–1950
SUPERANDO
LIMITES

E CHEGAMOS AOS ANOS 1940, DÉCADA QUE VIU nascer a NBA e o ENIAC, o primeiro computador da História, produzido pela IBM. Década também marcada pela Segunda Guerra Mundial.

No final desse período, em 1947, os aparelhos de TV começam a se popularizar, principalmente nos Estados Unidos, no Japão e na Europa. E por falar em Japão, foi nessa década que a gigante japonesa Motorola lançou o walkie-talkie.

No Brasil, em 1942, assistimos ao ataque de submarinos da Alemanha nazista a navios brasileiros, o que fez o país declarar guerra à Alemanha e à Itália, nossa entrada na Segunda Guerra Mundial. No ano seguinte, o Governo Getúlio Vargas sanciona a lei que institui a Consolidação das Leis do Trabalho (CLT).

Entre as décadas de 1930 e 1940, a Alemanha nazista percebeu o potencial bélico dos foguetes de longas distâncias. No final da Segunda Guerra Mundial, a cidade de Londres foi atacada por mísseis V-2 de 322 km, que se estendiam por quase 100 km sobre o Canal da Mancha a mais de 5,6 km/h. Depois da Segunda Guerra Mundial, os Estados Unidos e a União Soviética criaram seus próprios programas de mísseis.

QUEBRANDO A BARREIRA DO SOM

Na década de 1940, a humanidade passou a voar cada vez mais alto e rápido. Vimos o primeiro ser humano a quebrar a barreira do som. O piloto norte-americano Chuck Yeager, em 14 de outubro de 1947, em um avião supersônico experimental Bell X-1 – carinhosamente apelidado de Glamorous Glennis –, alcançou o

Mach 1, uma medida de velocidade que determina quantas vezes um corpo atingiu a velocidade do som (340 m/s). O jato Bell X-1 alcançou essa marca voando a uma altitude de 15 mil metros.

O evento era tido como *top secret* e só veio a público em 1948, quando Yeager se tornou uma celebridade por conta de seu feito (duvido que teria conseguido manter sigilo hoje em dia, com tanto smartphone por aí). Ele recebeu o prêmio *Collier Trophy* de aviação, que chamou seu voo de "a maior conquista na aviação desde que os irmãos Wright voaram pela primeira vez em 1903".

Existe muita controvérsia sobre quem são os pais da aviação. Você, cara pessoa que está lendo este livro, pode ter se lembrado do nosso Santos Dumont, que em 23 de outubro de 1906 realizou o primeiro voo com o 14-bis para uma ansiosa plateia de mil pessoas, porém, em 17 de dezembro de 1903, os irmãos Wright já haviam voado com o *Flyer I* em um evento sigiloso e para poucas testemunhas. Os Wright chegaram a avisar a imprensa posteriormente, mas ninguém os levou a sério, pois não eram tão conhecidos ainda – e, volto a afirmar, se fosse em tempos de Instagram, eles teriam pelo menos alguns milhares de likes pelo feito.

Foi só em 1908 que, em uma exibição pública, os Wright viajaram a Paris em seu Flyer III durante uma festa promovida pelo Aeroclube da França, momento em que foi possível comparar os trabalhos dos irmãos americanos ao de Santos Dumont.

A controvérsia sobre quem foi o pai da aviação existe por causa de alguns critérios estabelecidos pelo Aeroclube da França, que naquele ano era a mais importante instituição aeronáutica do mundo. De acordo com os critérios, só seriam premiadas as máquinas que:

> **FOSSEM CAPAZES DE DECOLAR DE MANEIRA TOTALMENTE AUTÔNOMA.**
>
> **FOSSEM CONTROLADAS POR SEUS RESPECTIVOS PILOTOS.**
>
> **E CUJAS APRESENTAÇÕES FOSSEM SUPERVISIONADAS PELA COMISSÃO DA INSTITUIÇÃO, QUE ERA BASEADA NA FRANÇA.**

Sendo assim, o brasileiro deveria ser sim considerado o autor do primeiro voo com uma máquina voadora mais pesada que o ar que conseguiu decolar de maneira autônoma na presença da comissão avaliadora do aeroclube francês. Mas alguns historiadores discordam por causa da forma como o 14-bis funcionava, sendo muito dependente de alavancas que faziam a aeronave voar de maneira parecida com a de um balão, enquanto a máquina voadora dos americanos possuía um controle mais eficaz, apesar de não ter uma decolagem autônoma como exigido nos critérios citados anteriormente.

Como, então, resolver essa questão? A resposta é que não resolveram.

Por esses e outros detalhes, essa discussão é debatida até hoje, não havendo uma resolução que agrade a todos.

Mas assim como Plutão ainda é um planeta no meu coração, Santos Dumont sempre será o pai da aviação para mim.

Bom, depois desses parênteses enormes sobre aviação, vamos saltar para a próxima década na exploração espacial.

1950–1960
A CORRIDA ESPACIAL

CHEGAMOS AOS CHAMADOS "ANOS DOURADOS", UMA década que viu nascer tecnologias revolucionárias que tiveram forte impacto social. Nesse período as propagandas invadiam as rádios e o mundo viu a televisão se popularizar de vez, deixando de ser um luxo das casas mais abastadas. Foi uma década bastante influenciada por temas ligados ao espaço. Quadrinhos, séries de TV e até alguns carros eram inspirados nas viagens espaciais.

Nos anos 1950, o Brasil ganhou seu primeiro canal de TV, que também seria o primeiro de toda a América Latina: a TV Tupi. Foram criados eletrodomésticos importantíssimos nesse período, entre eles a máquina de lavar roupas. Sem ela, eu nunca teria conseguido entregar este livro no prazo.

Uma coisa a se notar é que o mundo nunca tem uma década "tranquila". Nessa tivemos a Revolução Cubana, em 1959, e a Guerra do Vietnã, que se iniciou em 1955 e durou até 1975. Ambos os conflitos geraram um agravamento da Guerra Fria.

Ah, e teve o surgimento do rock'n'roll.

E foi na década de 1950 que as coisas realmente começaram a ganhar saltos mais audaciosos, para onde o homem jamais esteve. A Segunda Guerra Mundial já estava no passado, mas o mundo vivia uma guerra fria envolvendo os capitalistas americanos e os comunistas soviéticos, e um dos palcos para essa queda de braço era justamente o espaço.

A chamada corrida espacial começou oficialmente em 12 de agosto de 1955, quando os soviéticos declararam que lançariam satélites funcionais na órbita baixa da Terra antes dos americanos. Desde o dia em que essa competição começou, uma missão tripulada até a Lua era o objetivo final de ambos os lados, por isso os dois governos investiram quantias astronômicas (não resisti ao trocadilho, me desculpem) de dinheiro em programas de exploração espacial e desenvolvimento de espaçonaves, na esperança de se tornar a primeira nação a pisar no único satélite natural da Terra.

E, em 1957, os soviéticos conseguiram uma proeza e tanto, lançaram um míssil balístico intercontinental R-7, que levou para o céu o Sputnik, "viajante" na língua russa. O Sputnik foi o primeiro objeto feito por humanos a ser colocado na órbita da Terra.

Esse grande feito deixou o mundo fascinado. Bom, nem todo o mundo, pois os americanos ficaram um tanto bolados com a conquista dos vermelhos. Os Estados Unidos enxergavam o espaço como sendo a próxima fronteira a ser explorada pela humanidade, e eles não queriam comer a poeira dos soviéticos. O lançamento dos soviéticos não só mostrou para os americanos que eles estavam perdendo a corrida rumo ao espaço, como também despertou um certo temor, pois o potente foguete R-7 aparentemente poderia ser capaz de carregar uma ogiva nuclear e despejá-la no espaço aéreo americano.

Os americanos precisavam mostrar serviço. Foi então que, em 1958, os Estados Unidos lançaram seu próprio satélite, o Explorer I, que havia sido projetado pelo exército americano com a supervisão do lendário cientista de foguetes Wernher von Braun.

Ainda em 1958, o então presidente americano Dwight Eisenhower assinou uma ordem pública, criando a Administração Nacional de Aeronáutica e Espaço. Nascia, assim, a NASA, uma agência federal dedicada à exploração espacial, e o maior alvo daqueles que afirmam por aí que a Terra é plana. Mas não vamos perder tempo com eles, não é mesmo?

Eisenhower também foi o responsável pela criação de 2 programas espaciais voltados para a segurança nacional e que operariam simultaneamente com o programa da NASA. O primeiro, liderado pela Força Aérea dos Estados Unidos, foi dedicado a

O PROGRAMA ESPACIAL SOVIÉTICO PASSOU A PERNA EM SEUS RIVAIS AMERICANOS MAIS UMA VEZ E LANÇOU A LUNA 2, A PRIMEIRA SONDA ESPACIAL A ATINGIR A LUA.

explorar o potencial militar do espaço. O segundo programa, liderado pela Agência Central de Inteligência – a boa e velha CIA –, pela Força Aérea e por uma nova organização chamada National Reconnaissance Office (cuja existência era segredo de Estado até meados dos anos 1990), tinha o codinome Corona e usaria satélites em órbita para coletar informações sobre a então inimiga militar União Soviética e seus aliados.

Acaba o ano de 1958, e 1959 prometia grandes emoções para a exploração do espaço. O programa espacial soviético passou a perna em seus rivais americanos mais uma vez e lançou a Luna 2, a primeira sonda espacial a atingir a Lua.

A Luna 2 era uma sonda espacial esférica, que até lembrava bastante a Sputnik 1. Equipada com uma série de instrumentos de pesquisa, incluindo contadores Geiser, um magnetômetro e um detector de micrometeoritos, sua única missão era colidir com a Lua. Parece fácil, né? Era só chegar lá e se espatifar, mas, na época em que ela foi lançada, os americanos estavam certos de que a missão seria um fracasso e que a sonda se perderia na Lua. Os Estados Unidos sabiam da potência dos foguetes soviéticos, e que eram capazes de chegar até a Lua, mas acreditavam que os sistemas de orientação destes estavam com defeito e que teriam muita dificuldade em calcular com precisão a complexa trajetória necessária para um pouso intencional.

Os americanos estavam errados, meus amigos.

A Luna 2 chegou até a Lua com sucesso, colidindo com a sua superfície em algum lugar da região lunar conhecida como "Mare Imbrium". Durante a aproximação, a sonda foi capaz de transmitir informações valiosas para o controle da missão soviética na Terra:

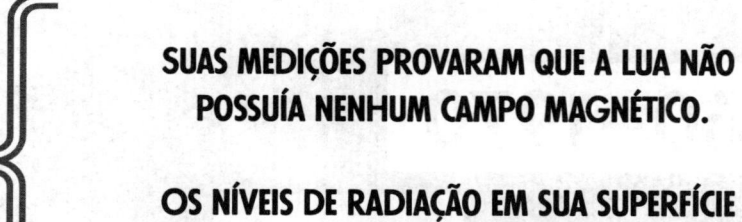

> **SUAS MEDIÇÕES PROVARAM QUE A LUA NÃO POSSUÍA NENHUM CAMPO MAGNÉTICO.**
>
> **OS NÍVEIS DE RADIAÇÃO EM SUA SUPERFÍCIE NÃO REPRESENTARIAM NENHUMA AMEAÇA A UMA FUTURA EXPEDIÇÃO TRIPULADA.**

A década de 1950 fecha com uma conquista inédita para a época: tínhamos tocado a Lua com nossos instrumentos, abrindo caminho para o que seria a maior proeza da humanidade até então, a conquista da Lua por humanos.

1960–1970
UM GRANDE PASSO PARA A HUMANIDADE...

CHEGAMOS AOS ANOS 1960, UMA DÉCADA REVOLUCIO- nária em vários sentidos. Foi lançado o RAMAC 305, da IBM, o primeiro computador eletrônico com disco rígido, e esse período também viu o nascimento do primeiro chip de computador.

O primeiro transplante de coração acontecia na África do Sul. No Brasil, a TV Tupi realizava a primeira transmissão em cores. E foi na década de 1960 que tivemos a criação da ApaNet, o embrião do que viria a ser a internet. E lógico que não posso me esquecer dos Beatles, que lançaram seu primeiro disco em 1962, iniciando uma carreira de sucesso que iria influenciar a música num todo. Hanna-Barbera Productions divertia o mundo com *Flintstones*, *Jetsons* e *Tutubarão* (bom, *Tutubarão* não era tão legal assim, mas para quem só tinha a TV...).

No Brasil, nasciam a MPB, a Tropicália e a Jovem Guarda. Foram anos conturbados, com movimentos sociais aflorando mundo afora, e a Guerra do Vietnã, iniciada na década anterior, estava se tornando a pedra no sapato dos Estados Unidos.

E foi nessa década que pisamos na Lua, mas calma lá que eu estou me adiantando aqui, e a ida até a Lua não foi a única conquista na exploração espacial durante esses anos.

Em abril de 1961, o cosmonauta soviético Yuri Gagarin entrava para a História. Ele se tornou o primeiro indivíduo a orbitar a Terra, viajando a bordo da nave espacial Vostok 1. Foi a primeira pessoa a contemplar o nosso planeta do "lado de fora". Eu não consigo quantificar a emoção que ele deve ter sentido ao proferir as palavras:

"A TERRA É AZUL".

Mais uma vez os Estados Unidos foram deixados para trás. Eles precisavam enviar logo um americano para o espaço.

Nascia então o Projeto Mercury, um esforço dos engenheiros que visava alcançar os soviéticos o mais rápido possível. A NASA desenvolveu um cone menor, uma cápsula moldada, muito mais leve que a Vostok que levou Gagarin ao espaço. Eles testaram a nave com chimpanzés e realizaram o último voo teste em março de 1961, antes mesmo do lançamento de Gagarin. Em 5 de maio, o Projeto Mercury lançou o astronauta Alan Shepard aos céus e ele se tornou o primeiro americano no espaço, mas não chegou a ficar em órbita.

Entretanto, aquele mês de maio de 1961 seria lembrado para sempre pela audaciosa afirmação do então presidente John F. Kennedy, afirmação essa feita para quem quisesse ouvir: "Primeiro, acredito que esta nação deve se comprometer a atingir a meta, antes que esta década termine, de aterrissar um homem na Lua e trazê-lo de volta em segurança para a Terra".

Essa proclamação preparou terreno para um programa espacial grandioso, sem precedentes.

Em fevereiro de 1962, finalmente John Glenn se tornou o primeiro americano a orbitar a Terra e, no final daquele ano, as fundações do programa de pouso lunar da NASA estavam ganhando forma. Era o Projeto Apollo.

Foram seis anos com o Projeto Mercury obtendo sucesso nos lançamentos de astronautas solo a bordo dos foguetes Redstone e Atlas. Logo atrás estavam as missões do Projeto Gemini, com equipes de 2 a bordo dos veículos de lançamento Atlas e Titan. A primeira tripulação voou a bordo do Gemini 3 em 23 de março de 1965, decolando em um foguete Titan do Launch Complex 19.

As Missões Gemini trouxeram muitos avanços para a exploração espacial, entre os quais podemos destacar a introdução de caminhadas espaciais pioneiras e ancoragens de naves, que futuramente seriam importantes para solucionar eventuais problemas no espaço.

Ir para a Lua era um desafio e tanto, e necessitava de um foguete maior e mais potente para levar os astronautas para além da órbita baixa da Terra, e ainda precisaria impulsionar a nave na direção de nosso satélite natural. E, além disso, para alcançar a superfície da Lua seriam necessárias duas naves separadas, um módulo de serviço/comando e um módulo lunar.

SATURNO V

Imagine uma estrutura metálica com 10 metros de diâmetro na base e 111 metros de altura. E tão assustadora quanto suas dimensões é seu peso: 3 mil toneladas. Parece que estou me referindo ao Gigante Guerreiro Daileon (essa só quem tem mais de 30 anos vai lembrar). Esses números não parecem ser referentes a algo que voa, mas estamos falando do maior foguete já construído por humanos (até o momento em que escrevo este livro), o imponente Saturno V. É realmente difícil de imaginar que uma estrutura colossal como essa conseguiu voar.

Mas conseguiu. Aguente aí que logo chego nessa parte.

Durante esse período, a infraestrutura do Centro de Operações de Lançamento tomou forma na medida em que os preparativos para as missões lunares continuavam, mas o nome do centro mudou após uma trágica reviravolta.

Em 22 de novembro de 1963, John F. Kennedy foi assassinado por disparos efetuados por Lee Harvey Oswald enquanto circulava no automóvel presidencial na Praça Dealey. Em 29 de novembro do mesmo ano, apenas cinco dias após o crime, o centro foi renomeado como Centro Espacial John F. Kennedy, em sua homenagem.

Dois anos após o assassinato de Kennedy, a NASA concluiria o Complexo de Lançamento 39, uma estrutura enorme o suficiente para receber o poderoso foguete Saturno V.

O gigantesco edifício de montagem de veículos começou a tomar forma em 1962: as plataformas de lançamento A e B foram construídas com uma esteira rolante para servir como a estrada entre o VAB e as plataformas, e um transportador de esteiras foi construído para locomover os imponentes foguetes que nos ajudariam a chegar à Lua.

Mas, antes de chegarmos à Lua, teríamos que lidar com outra tragédia.

Em 27 de janeiro de 1967, Gus Grissom, Ed White e Roger Chaffee, astronautas que partiriam para a primeira Missão Apollo no mês seguinte, perderam suas vidas em um incêndio que tomou o módulo de comando durante um teste da plataforma de lançamento, no Complexo 34. Posteriormente, foi feita uma investigação detalhada, que resultou em uma extensa reformulação do módulo de comando da Apollo, o que acabou adiando o lançamento de astronautas até que funcionários da NASA liberassem o módulo para voo. Na primavera daquele ano, o voo originalmente programado para os 3 astronautas foi oficialmente designado como Apollo 1 para os livros de História.

Finalmente, em 9 de novembro de 1967, foi feito o primeiro teste do poderoso Saturno V, carregando a Apollo 4 que não trazia tripulação a bordo.

Kurt Debus, diretor do centro espacial na época, descreveu sua decolagem da seguinte maneira:

Saturno V.

Fonte: NASA Image and Video Library.

> "A LIBERAÇÃO É MUITO LENTA, ASSIM COMO A ELEVAÇÃO DA TORRE UMBILICAL. SUA DECOLAGEM LEVA UM TOTAL DE DEZENOVE SEGUNDOS, QUE, NAQUELE MOMENTO, PARECERAM MINUTOS. E QUANDO O FOGUETE DECOLA, A MANEIRA MAJESTOSA COM QUE ELE EXECUTA ESSA AÇÃO É IMPRESSIONANTE, A COISA MAIS IMPRESSIONANTE QUE JÁ VI".

No lugar dele, eu diria:
"CARACAAAAAAA!!".

Se o depoimento do Kurt não foi o suficiente para impressionar você, dê uma pausa na leitura e vá à área de busca do YouTube, digite "Saturn V Launch" e veja o milagre da engenharia moderna subindo aos céus.

O teste provou que o enorme foguete tinha tudo para obter sucesso na audaciosa missão até a Lua, então era chegada a hora de fazer uma viagem inaugural com uma equipe a bordo.

A primeira Apollo com tripulação partiu no dia 11 de outubro de 1968. Faziam parte da equipe Wally Schirra, Donn Eisele e Walt Cunningham, que decolaram do Complexo de Lançamento 34 a bordo de um Saturno-IB para a missão na órbita terrestre Apollo 7.

Dois meses se passaram, e agora tínhamos a missão da Apollo 8, que foi a primeira a orbitar a Lua. A missão partiu de um Saturno V em 21 de dezembro de 1968. Foi histórica, os americanos ficaram fascinados assistindo a uma transmissão ao vivo dos astronautas enquanto orbitavam nosso satélite natural na véspera do Natal. Esse passeio sem precedentes rendeu uma das imagens mais famosas de todos os tempos (e também uma das mais belas), a "Earthrise", o nascimento da Terra visto no horizonte da Lua, uma paisagem que poucos humanos tiveram a chance de presenciar.

Earthrise

Fonte: NASA Image and Video Library.

As missões de órbitas lunares da Apollo 8 e 10 demonstraram que era possível alcançar a Lua, mas era um trabalho para a Apollo 11 provar que, além de chegar até lá, poderíamos pousar em sua superfície e retornar para a Terra em segurança. Os homens corajosos que foram responsáveis por essa grande proeza eram Neil Armstrong, Michael Collins e Buzz Aldrin, que passaram por uma rigorosa bateria de testes aos quais nenhum ser humano havia sido submetido antes. Justificável, pois era uma missão que nunca tinha sido feita.

O lançamento da Apollo 11 aconteceu na plataforma 39A, no dia 16 de julho de 1969, dez anos antes deste humano que vos escreve vir ao mundo. Enquanto o foguete Saturno V subia em direção ao espaço, havia cerca de 1 milhão de pessoas assistindo nas proximidades.

A missão de oito dias levou a tripulação em uma jornada de 1.504.737 quilômetros para um outro mundo pela primeira vez na História.

No dia 19 de julho, após três longos dias de viagem pelo espaço, a tripulação da Missão Apollo entra na órbita lunar. Era hora de Neil Armstrong e Buzz Aldrin se separarem do colega Michael Collins, que continuaria a bordo do módulo de comando. Os dois embarcaram no módulo lunar Eagle (Águia), que seria o responsável por deixar os astronautas na superfície lunar.

Collins teve a ingrata (mas não menos heroica) missão de continuar pilotando o módulo de comando, quando ele fez a foto que eu acho mais incrível da missão. Nela, vemos o módulo lunar descendo para a Lua logo abaixo e, ao fundo, a Terra, pálida, flutuando no espaço escuro e desolador.

Nesta imagem estão todos os humanos vivos naquele dia... Menos Collins, que tirou a foto.

Em 20 de julho de 1969, estima-se que cerca de 530 milhões de pessoas assistiram pela TV a Neil Armstrong ser o primeiro humano a pisar na Lua, cumprindo o desafio lançado anos antes pelo presidente americano Kennedy. Era a primeira vez que estávamos em outro mundo.

Fonte: NASA Image and Video Library.

No final da década de 1960, o Programa Apollo havia concluído duas aterrissagens bem-sucedidas na Lua, e o Centro Espacial John F. Kennedy se tornou a capital mundial de lançamentos. Foi uma conquista que aconteceu em um tempo de grandes transformações na sociedade, não só a americana, mas mudanças em nível global, e pisar na Lua foi o evento máximo da capacidade humana daquele tempo, abrindo novos horizontes. Da mesma forma que Goddard, ainda menino, ao descer daquela árvore tornara-se uma pessoa diferente, o mundo jamais seria o mesmo depois dessa conquista.

AS "COMPUTADORES" DA NASA

Neil Armstrong, Alan Shepard, John Glenn, todos são muito conhecidos, são astronautas que participaram de missões importantíssimas. Eles ganharam o título de heróis, receberam homenagens e garantiram que seus nomes ecoassem pela História, mas o que pouca gente sabe é que, apesar da grande dedicação e coragem, suas glórias não foram conquistadas de maneira individual. Elas envolveram centenas de pessoas, engenheiros, técnicos e as chamadas "computadores humanas", responsáveis por realizar os cálculos para as trajetórias orbitais.

A partir de 1935, quando a NASA ainda era a NACA, foram contratadas centenas de mulheres que seriam computadores humanos. Esse título designava aqueles que iriam executar equações e cálculos matemáticos manualmente. Isso mesmo que você leu, papel e caneta. Os computadores humanos trabalhavam no Laboratório Aeronáutico do Memorial Langley, na Virgínia.

Computadores humanos não era um conceito novo. No final do século 19 e início do século 20, mulheres trabalhavam como verdadeiros computadores na Universidade de Harvard, analisando fotos de estrelas para saber mais sobre suas propriedades básicas. Essas mulheres fizeram descobertas fundamentais para a astronomia. Talvez uma das mais conhecidas seja Williamina Fleming, que classificou estrelas com base em sua temperatura. Também posso citar Annie Cannon, que desenvolveu um sistema de classificação espectral das estrelas, indo das estrelas mais quentes às mais frias; assim, ela as separou pelas classes O, B, A, F, G, K, M, baseando-se na força das linhas de Balmer. Seu método é usado até os dias de hoje.

Com a chegada da Segunda Guerra Mundial, o número de computadores humanos foi ampliado. Langley passou a recrutar mulheres afro-americanas com diploma universitário para trabalhar como computadores. No entanto, as políticas de segregação exigiam que elas trabalhassem em uma seção separada, denominada "Computadores da Área Oeste". Anos depois, as seções de computação se tornaram mais integradas.

Passou mais um tempo e as Computadores da Área Oeste tornaram-se engenheiras, programadoras de computadores (eletrônicos) e também as primeiras gerentes negras de Langley e especialistas em trajetórias que culminaram no primeiro americano colocado em órbita, John Glenn.

Dessas inestimáveis mulheres computadores, posso destacar o trabalho de 3.

MARY JACKSON

Mary Jackson se formou no ensino médio com ótimas notas e recebeu um diploma de bacharel em Matemática e Ciências Físicas pelo Instituto Hampton. Antes de trabalhar na NASA, ela exerceu a profissão de professora.

A MISSÃO VENERA DUROU DE 1961 ATÉ 1983. EM 12 DE FEVEREIRO DE 1961, FOI LANÇADO O VENERA 1, MAS QUANDO A SONDA ESTAVA A 2 MILHÕES DE QUILÔMETROS DE SEU PLANETA NATAL, O CONTATO FOI PERDIDO E NUNCA MAIS TIVEMOS NOTÍCIAS SUAS. FOI PARA A CASA DO CHAPÉU.

Em seu trabalho como computador da Área Oeste, envolveu-se com túneis de vento e experimentos de voo, extraindo os dados relevantes de experimentos e testes de voo.

KATHERINE JOHNSON

Katherine Johnson foi uma aluna de destaque nas escolas da Virgínia Ocidental. Aos 13 anos frequentou uma escola secundária no campus da West Virginia State College e aos 18 ingressou na faculdade. Depois de se formar com as maiores honras, começou a trabalhar como professora em 1937.

Em 1953, Johnson ingressou na seção das Computadores da Área Oeste. Ela começou sua carreira trabalhando com dados de teste de voo, mas sua vida mudou drasticamente depois que a União Soviética lançou o primeiro satélite em 1957. Uma de suas equações matemáticas foi usada em um compêndio de séries de palestras que tinha o nome de *Notes on Space Technology*. Essas palestras foram ministradas por engenheiros que mais tarde formaram o Grupo de Tarefas Especiais, seção da NACA relacionada a viagens espaciais.

Para as Missões Mercury, Johnson fez uma análise de trajetória para a Missão Freedom 7 de Shepard, em 1961, e, a pedido de John Glenn, fez o mesmo trabalho para a sua missão orbital em 1962. Apesar de a trajetória de Glenn ter sido planejada por computadores, Glenn supostamente queria que Johnson conferisse tudo através das equações para garantir que eles estariam seguros naquela missão.

Katherine Johnson realizou cálculos que ajudaram a sincronizar o Lunar Lander do Projeto Apollo com o módulo de comando e serviço na órbita da Lua, e também trabalhou no Programa Ônibus Espacial e no Earth Resources Satellite.

DOROTHY VAUGHAN

Dorothy Vaughan ingressou no Laboratório Aeronáutico do Memorial Langley em 1943, após iniciar sua carreira como professora de Matemática em Farmville, no estado de Virgínia. Seu trabalho durante a Segunda Guerra Mundial foi em uma posição temporária, mas (em parte graças a uma ordem exclusiva que proíbe a discriminação na indústria de defesa) ela foi contratada permanentemente, porque o laboratório tinha uma grande quantidade de dados para processar.

Ainda assim, a lei exigia que ela e suas colegas negras trabalhassem separadamente das mulheres brancas. As primeiras supervisoras eram brancas, mas, em 1948, Vaughan se tornou a primeira supervisora negra da NACA.

A segregação foi encerrada em 1958, quando a NACA se tornou a NASA. Nesse período, a NASA criou uma divisão de análise e computação. Vaughan era uma programadora especialista em FORTRAN, linguagem de computador proeminente na época, e também contribuiu para um foguete de lançamento de satélites chamado Solid Controlled Orbital Utility Test (Scout).

Vaughan se aposentou da NASA em 1971.

Da esquerda para a direita: Mary Jackson, Katherine Johnson e Dorothy Vaughan.

Mas e os soviéticos? Será que eles ficaram apenas assistindo às conquistas americanas sem fazer nada? Não, meu amigo, minha amiga, eles também colecionaram grandes feitos, os quais irei detalhar nas próximas páginas.

MISSÕES VENERA E MARINER

Enquanto os americanos se davam bem na Lua, os soviéticos estavam envolvidos em uma missão focada em um astro maior e mais distante: o planeta Vênus.

A Missão Venera durou de 1961 até 1983. Em 12 de fevereiro de 1961, foi lançado o Venera 1, mas, quando a sonda estava a 2 milhões de quilômetros de seu planeta natal, o contato foi perdido e nunca mais tivemos notícias suas. Foi para a casa do chapéu.

Nesse meio-tempo, os americanos também se arriscaram em missões ao planeta mais quente do Sistema Solar, com a Missão Mariner, mas, assim como os soviéticos, a sorte não estava a favor deles, que também perderam o contato com a sonda. A sorte virou para os americanos em 14 de dezembro de 1962, quando a sonda Mariner 2 se tornou a primeira missão interplanetária a obter sucesso. A nave sobrevoou a 34.833 quilômetros da superfície de Vênus, e os dados nos mostraram que sua atmosfera alta era fria, porém a superfície do planeta era um verdadeiro inferno, chegando a até 450 °C, algo bem desanimador para quem acreditava haver algum tipo de vida por lá.

Mariner 2.

Fonte: NASA/JPL.

Então foi a vez da russa Venera 3, em uma missão que foi muito impactante. E não estou fazendo uso de linguagem figurativa, ela literalmente teve impacto com a superfície do planeta, e seus instrumentos não foram capazes de enviar de volta nenhum dado. Mas, apesar de desastrosa, ela tem o mérito de ser o primeiro artefato feito por mãos humanas a atingir a superfície de outro planeta, mesmo que tenha se espatifado nele.

A primeira nave a entrar com sucesso na atmosfera de Vênus foi a Venera 4, cuja proeza se deu em 18 de outubro de 1967. A nave não chegou a pousar no planeta, mas não veja isso como uma missão inútil, muito pelo contrário, foi a primeira nave a enviar de volta dados sobre a atmosfera, e também foi o primeiro equipamento feito por humanos a fazer uma transmissão interplanetária.

Também em 1967, no dia 19 de outubro, Vênus novamente seria incomodado por uma de nossas sondas, desta vez a americana Mariner 5, que realizou um sobrevoo a uma distância de menos de 4 mil quilômetros do topo das nuvens do planeta. E você deve estar se perguntando: "Ué, Mariner 5? Cadê as Mariners 3 e 4?". Bom, as Mariners 3 e 4 foram enviadas para outro planeta, Marte. Mas as missões não deram muito certo.

Então, em maio de 1969, meses antes de os americanos pisarem na Lua, Venera 5 conseguiu transmitir com sucesso dados sobre a atmosfera do planeta. Ela conseguiu chegar a uma distância de 26 mil metros de altitude, então foi destruída pela poderosa pressão atmosférica de Vênus, o que foi praticamente uma missão kamikaze.

QUEM SERÁ QUE CONSEGUIU POUSAR COM SUCESSO NA SUPERFÍCIE DE VÊNUS? AMERICANOS OU SOVIÉTICOS? A RESPOSTA FICA PARA A PRÓXIMA DÉCADA.

1970–1980
BON VOYAGE

CHEGAMOS À DÉCADA DE 1970, NA QUAL VIMOS A INTEL lançar o Intel 4004, o primeiro microprocessador do mundo, algo que fez com que os PCs começassem a se popularizar. Nessa época, o mundo começou a ficar menor, pois em 1973 a França lançou o seu lendário avião supersônico comercial Concorde.

Na música, houve o surgimento do Movimento Punk, representado por bandas como Sex Pistols, Ramones e The Clash. E ainda no rock, o estilo progressivo ganhava o mundo com o Pink Floyd, enquanto o hard rock do Led Zeppelin e do Deep Purple tornava-se o hino de uma juventude que ainda vivia a rebeldia proveniente da década anterior.

E minha banda preferida, o Queen, também surgiu nessa época.

No Brasil, os anos 1970 foram fortemente marcados pela censura, mas artistas como Raul Seixas e Chico Buarque conseguiam se expressar usando a criatividade para burlar os censores. Foi nesse período que vimos as telenovelas ganharem popularidade no país, e com elas chegaram as revistas e programas que investiam em fofocas sobre os artistas.

Mas respondendo à pergunta que deixei no final do capítulo anterior, em 16 de dezembro de 1970, finalmente a Venera 7 conseguiu a proeza de pousar na superfície fervilhante do planeta Vênus, tão fervilhante que a pobre sonda só aguentou 23 minutos sob intenso calor e pressão. No entanto, apesar do pouco tempo, ela foi a primeira sonda a transmitir dados a partir da superfície de outro planeta, um feito e tanto.

Dando continuidade à saga da Missão Venera, em 1975 a sonda Venera 9 presenteou a humanidade com as primeiras imagens em preto e branco da superfície de Vênus. Ela pousou no planeta em 22 de outubro daquele ano, e durou um pouco mais que a Venera 7: 53 minutos valiosos para a pesquisa espacial.

No capítulo dedicado à próxima década, eu irei falar para você, curiosa pessoa que lê este livro, qual foi o desfecho dessa grande missão soviética.

Primeira foto em preto e branco da superfície de Vênus.

Fonte: NASA.

Mas além das Missões Venera, aconteceram outras coisas bem interessantes no campo das missões espaciais. Por exemplo, em 1971, vimos a primeira estação espacial ser colocada em órbita. Lançada pela União Soviética, ela se chamava Salyut 1 e permaneceu em órbita até 1973. Olha os soviéticos tomando a dianteira mais uma vez!

Ainda em 1971, os soviéticos ordenaram a primeira ocupação de uma estação espacial. A Soyuz 11 transportou os cosmonautas G. T. Dobrovolsky, V. N. Volkov e V. I. Patsayev para a Salyut – a primeira tripulação de uma estação espacial –, mas infelizmente a missão deles teve um final trágico: em 29 de junho daquele ano, eles morreram com a reentrada da Soyuz 11.

No mesmo ano, a Missão Apollo ainda acontecia, mas sem o glamour da Apollo 11. Em 30 de julho de 1971 foi realizada a primeira Missão Lunar Rover. Nela, os astronautas da Apollo 15, David Scott e James Irwin, deram um rolê na Lua usando o primeiro veículo espacial lunar enquanto exploravam a superfície do satélite, com a vantagem de não ter que se preocupar com os sinais de trânsito.

E em 13 de novembro de 1971, o mundo viu a primeira nave espacial orbitar outro planeta. A sonda espacial Mariner 9 foi lançada em maio daquele ano, chegando ao Planeta Vermelho seis meses depois. No ano seguinte, a sonda havia mapeado 100% da superfície marciana.

BURACO NEGRO

Muitos dos que me acompanham no meu canal no YouTube elegem o buraco negro como o objeto mais fascinante do cosmos. Essas "estrelas mortas" são verdadeiros monstros gravitacionais que vagam pelo Universo. Talvez sejam os mistérios que os envolvem que fazem deles objetos tão impressionantes. E foi lá nos anos 1970, mais precisamente em 1972, que tivemos o primeiro objeto candidato a ser um buraco negro.

Os astrônomos designaram o Cygnus X-1 como o provável primeiro buraco negro. Este sistema binário de estrelas emite fortes explosões como raios X, provenientes de quando a matéria é eliminada pela existência de um buraco negro.

Em 1973 foi a vez de os americanos terem uma estação espacial para chamar de sua. Quem tem mais de 40 anos vai se lembrar da Skylab 2, que, alguns dias após sua propulsão na órbita terrestre, recebeu os primeiros astronautas para a realização de reparos de danos sofridos pela estação durante seu lançamento. Essa equipe ficou 28 dias no espaço, estabelecendo um novo recorde para os americanos.

Em 1976, a Missão Viking 1, da NASA, enviou para a Terra as primeiras imagens da superfície do planeta Marte. Nunca antes uma nave americana havia conseguido pousar com sucesso em outro planeta. Nessas imagens era possível ver uma paisagem rochosa e desértica, porém nenhum sinal de vida, para a decepção de quem esperava ver homenzinhos verdes.

A nave tinha cerca de 600 kg e tinha o intuito de encontrar vida microbiana no planeta. Para isso, ela levava consigo sistemas sofisticados para a época, para detecção de processos de fotossínteses ou resíduos de gases, oriundos de bactérias, mas nada foi detectado.

Primeira foto da superfície de Marte.

Fonte: NASA.

Após o sucesso da Viking 1, foi a vez da Viking 2 pousar em Marte, na Planície Utopia. Lá fez a descoberta de geada da água e enviou fotos de volta para a Terra. As Vikings 1 e 2 não detectaram nenhum sinal de vida no Planeta Vermelho, mas isso não quer dizer que a missão não fez grandes descobertas, pelo contrário, foi possível fotografar as duas luas marcianas, Phobos e Deimos. O Programa Viking 1 Orbiter viu o fim de sua missão em 17 de agosto de 1980, depois de ter realizado 1.485 revoluções em torno daquele planeta. A Viking 2 ficou por lá até 25 de julho de 1978, e sua missão rendeu cerca de 16 mil imagens de Marte, captadas durante 706 revoluções.

MISSÃO VOYAGER

Chegamos a 1977, ano de lançamento das missões históricas da Voyager. As Voyagers 1 e 2 deixaram a Terra para um passeio épico pelo Sistema Solar.

Originalmente, as sondas foram projetadas para realizar estudos ao se aproximarem de Júpiter e Saturno; a ideia era investigar as luas dos dois gigantes gasosos e os anéis de Saturno. E com uma missão de investigação para ambos os planetas, foi estabelecido que as naves deveriam durar cerca de cinco anos, mas à medida que a missão evoluía, e obtendo sucesso em todos os seus objetivos, os engenheiros da NASA decidiram ir além, estendendo a missão para os gigantes mais externos, Urano e Netuno.

A abordagem mais próxima de Júpiter aconteceu em 5 de março de 1979 para a Voyager 1, e em 9 de julho do mesmo ano para a Voyager 2.

Júpiter, foto tirada pela Voyager 1 a 54 milhões de quilômetros do planeta, em 9 de janeiro de 1979.

Fonte: NASA/JPL.

Já a maior aproximação de Saturno ocorreu em 12 de novembro de 1980 para a Voyager 1, e em 25 de agosto para a Voyager 2. Mas, como estou entrando na próxima década aqui, voltarei a falar do passeio das Voyagers durante os anos 1980 nos capítulos seguintes.

Se a Missão Voyager tivesse terminado depois dos sobrevoos de Júpiter e Saturno, ainda assim teria fornecido material que ajudaria a reescrever os livros de astronomia, mas, com o "trabalho extra" da missão, as Voyagers retornaram para a Terra dados que revolucionaram a ciência da astronomia planetária, ajudando a resolver questões-chave e levantando novas e intrigantes indagações sobre a origem e evolução dos planetas do Sistema Solar.

A Missão Voyager foi projetada para tirar proveito de um arranjo geométrico raro dos planetas externos no final dos anos 1970 e 1980, o que possibilitou uma excursão pelos 4 planetas com um tempo mínimo de propulsor e viagem. Essa configuração entre Júpiter, Saturno, Urano e Netuno ocorre a cada 175 anos, e permite que uma espaçonave em uma trajetória de voo específica oscile de um planeta para outro sem a necessidade de grandes sistemas de propulsão a bordo.

O sobrevoo em cada planeta curva a trajetória de voo da espaçonave e aumenta sua velocidade o suficiente para levá-la ao próximo destino. Usando essa técnica de estilingue gravitacional, também conhecida como "manobra gravitacionalmente assistida", demonstrada pela primeira vez com a Missão Mariner 10 Venus/Mercury da NASA em 1973-74, o tempo de voo para Netuno foi reduzido de trinta para doze anos.

Mesmo sabendo que a missão pelos 4 planetas era possível, era considerado muito caro construir uma espaçonave capaz de percorrer distâncias tão grandes, carregar os instrumentos necessários e durar o suficiente para cumprir uma missão tão longa. Sendo assim,

UM EPISÓDIO DA SÉRIE ARQUIVO X CHAMADO "OS HOMENZINHOS VERDES" EXIBIDO EM 1994, TAMBÉM PRESTOU UMA HOMENAGEM À VOYAGER.

as Voyagers foram financiadas para realizar estudos intensivos de sobrevoo entre Júpiter e Saturno. Mais de 10 mil trajetórias foram estudadas antes de serem escolhidas as duas que permitiriam sobrevoos próximos a Júpiter e a sua grande lua Io, e a Saturno e a sua grande lua Titã. A rota de voo escolhida para a Voyager 2 também preservou a opção de continuar em Urano e Netuno.

OS DISCOS DOURADOS

Cada espaçonave Voyager carrega uma cópia de um disco de ouro contendo o registro de imagens e sons da Terra. Estão gravados nos discos músicas, clipes de áudio de pessoas e animais, paisagens. A ideia é que se um dia essas sondas chegarem a alguma raça inteligente, eles saibam quem somos e onde e como vivemos.

Os discos mexeram com a imaginação de várias pessoas, aparecendo em diversas representações na cultura pop – por exemplo, em *Starman*, filme de 1984, em que uma raça de alienígenas os descobre e envia uma mensagem para a Terra desejando aprender mais sobre o nosso planeta.

Um episódio da série *Arquivo X* chamado "Os homenzinhos verdes", exibido em 1994, também prestou uma homenagem à Voyager. Nele, o agente do FBI Fox Mulder descreve a Missão Voyager e seus discos de ouro, e menciona uma gravação de crianças que diz: "Um olá das crianças da Terra". No episódio, Mulder afirma que a sonda passou por Netuno e deixou de se comunicar com a

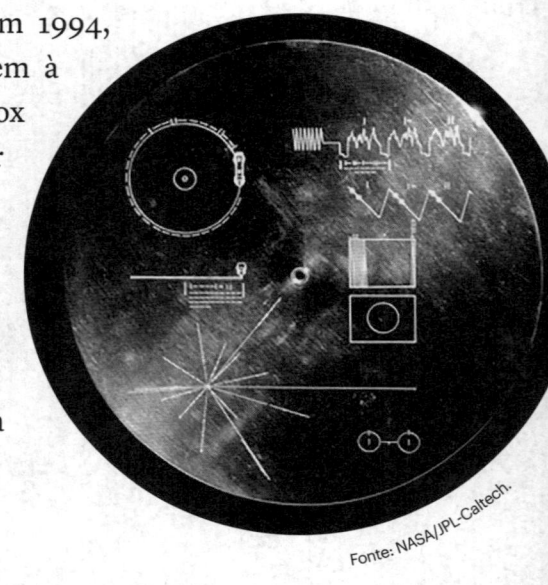

Fonte: NASA/JPL-Caltech.

Os discos de ouro das Voyagers.

Fonte: NASA/JPL-Caltech.

Terra, coisa que hoje sabemos que não aconteceu (a sonda continua se comunicando até o momento em que escrevo este livro, 43 anos depois de seu lançamento).

E o que foi gravado nesses discos? Bom, tem um pouco de tudo: 115 imagens e vários sons provenientes da natureza – vento, mar, pássaros, baleias, trovões, batidas de coração, risadas, entre outros. Há algumas obras musicais, cujo acervo reflete diferentes estilos e épocas, para mostrar para as hipotéticas raças alienígenas que temos um bom gosto. Tem também saudações em 55 línguas diferentes (mesmo assim, provavelmente o alienígena não irá entender nenhuma delas).

O conteúdo dos discos foi selecionado por um comitê da NASA liderado por um cara chamado Carl Sagan, da Universidade de Cornell.

PIONEER

Em 4 de dezembro de 1978, a Pioneer Venus 1, ou Pioneer 12, chegou ao planeta Vênus e operou continuamente até 8 de outubro de 1992, quando ela deixou de se comunicar com a Terra. O observador foi a primeira espaçonave a fazer uso de radar na coleta de dados para desenhar o mapa da superfície. O equipamento a bordo revelou sinais de rádio que presumivelmente eram causados por relâmpagos, mas não detectou campo magnético. Em 9 de dezembro de 1978 era a vez da

Pioneer Venus 2, que transportava 4 sondas atmosféricas, uma grande e outras 3 menores, que mergulharam na atmosfera fazendo uso de paraquedas enquanto a nave espacial fervia no topo da atmosfera.

Em 9 de julho 1979, a sonda Voyager 2 chegou a Júpiter, e o mundo se maravilhou com as primeiras imagens enviadas por ela desse planeta e de suas luas. No dia 1º de setembro do mesmo ano, a sonda Pioneer 11 chegou a Saturno, sobrevoou a 21 mil quilômetros e tirou as primeiras imagens próximas do planeta. Além das fotos, a sonda descobriu duas novas luas (quase colidindo com uma delas) e traçou sua magnetosfera e o campo magnético, além de mapear a estrutura geral do interior de Saturno.

E nos despedimos da década de 1970 com a chegada da sonda Voyager 1 a Saturno, em 12 de novembro de 1980, que começou a enviar de volta para a Terra imagens extraordinárias do mais belo planeta do Sistema Solar, assim como de suas várias luas.

Os anos 1970 foram revolucionários, as Missões Apollo nos deixaram confiantes para ir além, a Lua havia ficado para trás e agora a humanidade queria entender os demais astros do Sistema Solar. A próxima década dará continuidade a esse amadurecimento da exploração espacial, década essa marcada pelas missões dos ônibus espaciais.

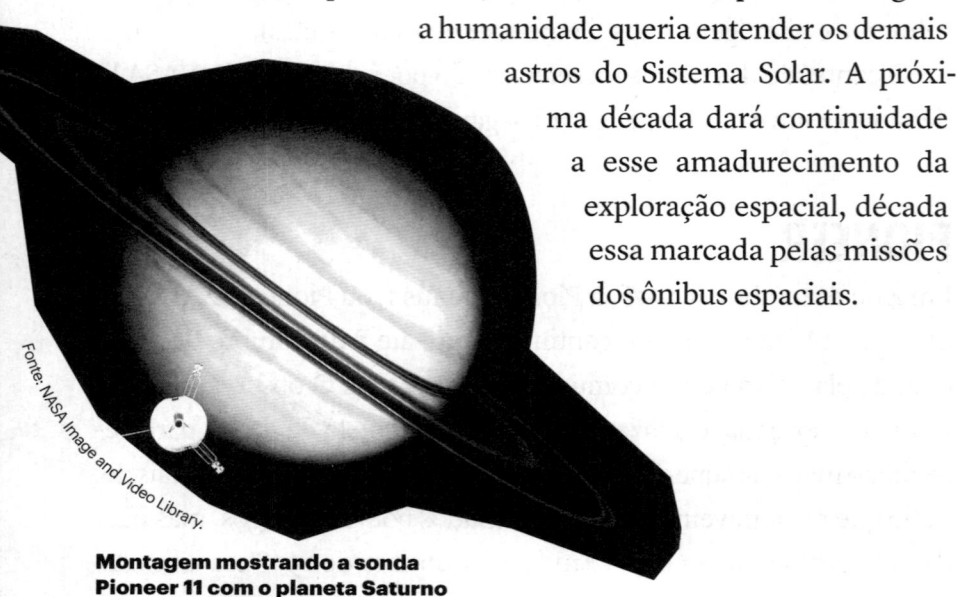

Fonte: NASA Image and Video Library.

Montagem mostrando a sonda Pioneer 11 com o planeta Saturno fotografado por ela ao fundo.

A ABORDAGEM MAIS PRÓXIMA DE JÚPITER ACONTECEU EM 5 DE MARÇO DE 1979 PARA A VOYAGER 1, E EM 9 DE JULHO DO MESMO ANO PARA A VOYAGER 2.

1980–1990
OS ÔNIBUS ESPACIAIS

EU TENHO MUITO CARINHO PELA DÉCADA DE 1980, E NÃO
é em razão das diversas séries ambientadas nesse período que permeiam na Netflix, e sim porque eu fui uma criança oitentista. Muito do que irei relatar neste capítulo me lembro de ter acompanhado pela TV: as missões dos ônibus espaciais, a aparição do cometa Halley e assim por diante.

Os anos 1980 foram revolucionários, período durante o qual ocorreu a primeira videoconferência na história das telecomunicações, algo que hoje você faz normalmente com a chamada de vídeo em seu celular. Na genética, tivemos avanços incríveis. Em 1984 nasceu o primeiro bebê de proveta no Brasil, e no mesmo ano, na Austrália, nasceu o primeiro bebê de proveta proveniente de um embrião congelado.

A década de 1980 também foi palco do pior acidente nuclear da História: a explosão na usina nuclear de Chernobyl, na então União Soviética. O desastre ceifou a vida de milhares de pessoas, e eu tinha 6 anos na época, não entendia muito bem o que havia acontecido, mas me lembro das chamadas de TV apocalípticas.

Também tivemos a Guerra das Malvinas, entre a Argentina e a Grã-Bretanha, e a queda do Muro de Berlim.

Na cultura pop, aconteceu o surgimento de vários clássicos do cinema, como *De volta para o futuro*, *Blade Runner*, *Indiana Jones*, *Batman*, *Robocop*... Na música, Michael Jackson ganhava o mundo com seu álbum *Thriller*. O punk rock dominava o Brasil, sendo representado por bandas como Legião Urbana, Titãs e Ira.

Ahh, e foi a década em que *Chaves* foi transmitido pela primeira vez no Brasil, programa que incrivelmente reprisa até hoje.

Bom, agora você está devidamente ambientado, então vamos falar sobre para onde fomos em nossa exploração espacial pela colorida década de 1980.

A PRIMEIRA NAVE REUTILIZÁVEL DA HISTÓRIA

Em 12 de abril de 1981 aconteceu o lançamento do primeiro ônibus espacial, também chamado STS-1 (sigla em inglês para Sistema de Transporte Espacial). O primeiro ônibus espacial foi o Columbia, cuja missão, bem como as próximas 3, seria fazer um voo para testar os sistemas da espaçonave.

O ônibus espacial foi a primeira nave reutilizável da História, colocando a humanidade em outro nível na exploração espacial, um nível mais econômico.

O Programa dos Ônibus Espaciais prometia baratear a exploração espacial após as caríssimas Missões Apollo. A ideia era desenvolver uma frota de naves que poderiam ser reutilizadas, capazes de decolar como foguetes, mas pousar como aviões. Foi uma revolução. Lembro-me de ter assistido a alguns lançamentos pela TV; cada um era um evento e deixou saudade. O programa durou até 12 de abril de 2011, quando as naves reutilizáveis foram aposentadas. No decorrer dos próximos capítulos irei falar mais sobre elas.

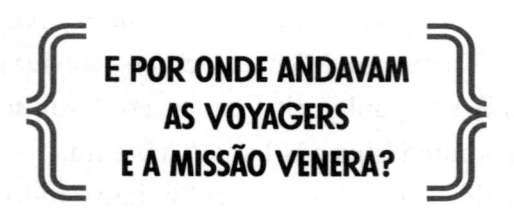

{ **E POR ONDE ANDAVAM AS VOYAGERS E A MISSÃO VENERA?** }

Em 25 de agosto de 1981, a sonda Voyager 2 chegou a Saturno, nos enviando mais algumas imagens do planeta e de suas luas. Já em 1º de março de 1982, tivemos as primeiras amostras do solo de Vênus.

Quem realizou essa incrível proeza foi a Venera 13, a primeira sonda a transmitir imagens coloridas da superfície de Vênus - até hoje, as mais compartilhadas.

A sonda foi projetada para durar cerca de meia hora, mas acabou conseguindo transmitir dados por mais de duas horas após o pouso na superfície áspera de Vênus. *Eita sonda resistente!* Depois dela, nenhuma outra se aventurou pela superfície infernal do planeta. Tivemos apenas alguns orbitadores.

Infelizmente, a documentação do Programa Venera é bem escassa, pois ele ocorreu na antiga União Soviética, país antecessor do que hoje são a Rússia e as nações vizinhas. A união se dissolveu em estados independentes em 1991.

E por falar nos soviéticos, em 13 de maio de 1982 foi estabelecido um novo recorde de resistência no espaço pelos cosmonautas soviéticos Anatoli N. Beresovoi e Valentin V. Lebedev, lançados para o espaço pela Soyuz T-5 para se encontrar com a Saltut 7 e receber o título de primeira equipe a habitar a estação espacial. Após 211 dias, eles retornaram para a Terra no Soyuz T-7.

Imagem da superfície de Vênus, registrada pela sonda Venera 13.

Fonte: Soviet Planetary Exploration Program, NSSDC.

Mas o ano de 1982 ainda reservaria mais emoções para os aficionados pelo espaço. Em 11 de novembro aconteceu a primeira missão operacional de um ônibus espacial, o Columbia lançado pela STS-5 com uma equipe de 4 membros. Essa missão durou cinco dias, colocou 2 satélites comerciais em órbita e realizou uma série de experimentos científicos.

Em 4 de abril de 1983, tivemos a viagem inaugural da Challenger, o segundo ônibus espacial dos Estados Unidos, numa missão que incluiu a primeira caminhada espacial de americanos em nove anos. E em 19 de junho de 1983, a astronauta Sally K. Ride, viajando com o ônibus espacial Challenger na missão STS-7, foi a primeira mulher daquele país a ir ao espaço. Mas Sally não foi a primeira mulher da História a ir ao espaço. Esse marco foi realizado muito antes, em 16 de junho de 1963, a bordo da nave Vostok VI, pela cosmonauta Valentina Vladimirovna Tereshkova. Grande Valentina!

Sally K. Ride a bordo da Challenger.

Fonte: NASA.

A BORDO DA NAVE VOSTOK VI, A RUSSA VALENTINA VLADIMIROVNA TERESHKOVA FOI A PRIMEIRA COSMONAUTA E PRIMEIRA MULHER A IR AO ESPAÇO. GRANDE VALENTINA!

Em 3 de fevereiro de 1984 aconteceu a primeira caminhada espacial sem o auxílio de uma corda. O astronauta Bruce McCandless fez sua caminhada espacial sem limitações usando um MMU (sigla em inglês para Unidade de Manobras Manejadas), uma espécie de *jetpack*, uma mochila movida a jato de nitrogênio. Nos dias seguintes, McCandless e seu colega, o astronauta Robert L. Stewart, realizaram vários testes utilizando os MMUs, um treino para uma futura missão de captura de satélite.

A caminhada de McCandless rendeu uma das mais icônicas imagens de uma pessoa no espaço. Nela, vemos um homem à deriva no espaço, preso a nada, nem mesmo ao seu planeta de origem. Além de icônica, é mais um lembrete de como somos pequenos e insignificantes perante a grandiosidade da Terra.

Ainda em 1984 assistimos à viagem inaugural do ônibus espacial Discovery, em 30 de agosto. A Missão STS-41D continha uma tripulação de 6 pessoas, lançou 3 satélites de comunicação e realizou testes com painéis solares.

McCandless movimentando-se livremente pelo espaço. Foto tirada em 12 de fevereiro de 1984.

Fonte: NASA.

Em 1985 não tivemos muitos avanços na exploração espacial, mas em 3 de outubro daquele ano houve a viagem inaugural do ônibus espacial Atlantis, o quarto orbitador da frota dos ônibus espaciais americanos. Sua missão, nomeada como STS-51J, com uma tripulação de 5 membros, realizou vários trabalhos para o Departamento de Defesa dos Estados Unidos.

Deixamos o tranquilo ano de 1985 para falar de 1986, um ano trágico para a exploração do espaço.

A EXPLOSÃO DA CHALLENGER, O DESASTRE QUE MUDARIA A NASA PARA SEMPRE

A Challenger foi uma nave que conquistou o carinho daqueles que acompanhavam as missões dos ônibus espaciais. Possibilitando momentos históricos, ela foi o segundo ônibus espacial a chegar ao espaço e sediou a primeira caminhada espacial do Programa dos Ônibus Espaciais, em 7 de abril de 1983.

Foi a Challenger que transportou a primeira mulher americana para o espaço, e também os primeiros astronautas negros. Além disso, ela concluiu com sucesso 9 missões

Fonte: NASA/KSC.

Lançamento inaugural do ônibus espacial Atlantis, em 3 de outubro de 1985.

69

importantes durante quase três anos de serviço. No total, a nave passou 62 dias, 7 horas, 56 minutos e 22 segundos no espaço. E poderia ter ido além desses números...

Em 28 de janeiro de 1986, às 11h38, horário do leste americano, recebendo uma atenção maior da mídia do que os lançamentos anteriores de uma nave daquele tipo por ter uma civil a bordo, a Challenger realizava seu décimo lançamento em direção aos céus.

Aos 68 segundos, a Challenger recebia comandos da base e o comandante da missão, Dick Scobee, emitiu a última resposta da nave:

"Certo, seguir em alta propulsão".

Quatro segundos depois, o piloto do ônibus espacial, Michael J. Smith, disse:

"Ih!".

Os tripulantes da Challenger, em foto tirada em 9 de janeiro de 1986. Da esquerda para a direita estão a professora **Christa McAuliffe**, os astronautas **Gregory Jarvis** e **Judith Resnik**, o comandante da missão **Dick Scobee**, o astronauta **Ronald McNair**, o piloto **Mike Smith** e o astronauta **Ellison Onizuka**.

O ônibus espacial explodiu 73 segundos após a sua decolagem, matando os 7 tripulantes, entre eles, Christa McAuliffe, que seria a primeira civil a voar para o espaço. McAuliffe era professora e fazia parte do Programa Professor no Espaço, através do qual iria ministrar aulas para cerca de 2,5 milhões de crianças em idade escolar diretamente do espaço. O acidente foi visto ao vivo por milhares de pessoas no local e pela TV, inclusive pelos pais da professora.

McAuliffe era uma docente excepcional e seu sonho era ser passageira de um ônibus espacial, então, quando a NASA anunciou um concurso para levar uma professora ao espaço, ela aproveitou a oportunidade e se inscreveu. McAuliffe venceu o concurso, superando outros 11 mil candidatos, porém foi impedida de realizar seu sonho. Após o acidente, seus planos de aula foram arquivados pela NASA com profunda tristeza. A explosão foi causada por uma junção de coisas: temperaturas extremamente baixas e um anel de vedação com defeito, que tinha a função de vedar uma junção no foguete de propulsor sólido do lado direito, mas, com o frio, se tornou inútil.

Posteriormente, o acidente trouxe à tona conflitos internos da NASA, entre eles, não reportar todos os problemas à equipe de decisão de lançamento. Os problemas da Challenger foram expostos por Allan McDonald, responsável pelo programa do foguete de propulsor sólido e engenheiro da empresa Morton-Thiokol, mas a NASA não ouviu.

Todas as atenções voltavam-se para o lançamento da Challenger e a mídia estava apaixonada pela história da professora que seria a primeira civil no espaço. A NASA não iria voltar atrás.

McDonald se recusou a assinar o laudo de lançamento: "Tomei a decisão mais inteligente de toda a minha vida: recusei assinar o documento. Achei que era um risco muito alto".

Quem acabou assinando foi seu chefe, Joe Kilminster.

Após o acidente, o Programa dos Ônibus Espaciais foi paralisado, e a NASA fez alterações técnicas na nave. Também mudou sua política de força de trabalho, e o programa foi retomado só em 1988.

O ônibus espacial Challenger, em 1985.
Fonte: NASA Image and Video Library.

A explosão da Challenger mudou o Programa dos Ônibus Espaciais de várias maneiras. Os planos de levar civis para o espaço foram arquivados por 22 anos, até Barbara Morgan, reserva de McAuliffe, voar no Endeavour em 2007.

Todo mês de janeiro, a NASA faz uma pausa para lembrar a última equipe da Challenger e as outras equipes perdidas na exploração espacial. A data ficou sendo chamada de Day of Remembrance.

COMETA HALLEY

Em 9 de fevereiro de 1986 também tivemos a aparição do cometa Halley. Eu lembro que o mundo parou para assistir à passagem dele, ocasião bem aproveitada pela mídia: havia desde brinquedos a camisetas estampadas com alguma arte referente à passagem do Halley naquele ano.

Na exploração espacial, podemos citar a sonda europeia Giotto, que se tornou uma das primeiras naves espaciais a encontrar e fotografar o núcleo de um cometa.

As dimensões do Halley são de cerca de 15 x 8 quilômetros, um dos objetos mais escuros e menos reflexivos do Sistema Solar. Tem um albedo de 0,03, o que significa que reflete apenas 3% da luz que incide sobre si.

Ele recebeu o nome de seu descobridor, o inglês Edmond Halley, que usou as teorias de gravitação e movimentos planetários de Isaac Newton para calcular as órbitas de vários cometas. Após encontrar semelhanças nas órbitas de cometas brilhantes relatados em 1531, 1607 e 1682, ele sugeriu que o trio era, na verdade, um único cometa fazendo viagens de volta. Halley previu corretamente o retorno do cometa em 1758 e 1759, dezesseis anos após sua morte, e o primeiro cometa "periódico" conhecido na História foi posteriormente nomeado em sua homenagem.

Podemos dizer que o Halley é o cometa mais famoso de todos, pois marcou a primeira vez que astrônomos entenderam que cometas poderiam ser visitantes que regressariam em nossos céus.

Em 20 de fevereiro de 1986 tivemos o lançamento da estação espacial Mir, que se tornou a primeira estação espacial modular em órbita, abrigou várias missões bem-sucedidas da Rússia e dos Estados Unidos e permaneceu em órbita até 2001, quando caiu no Oceano Pacífico (mais adiante eu falarei sobre isso).

Em 1988 tivemos o retorno dos ônibus espaciais. Em 29 de setembro, o ônibus espacial Discovery foi lançado do Centro Espacial John F. Kennedy. A Missão STS-26 marcava o retorno desse tipo de nave após dois anos do acidente envolvendo a Challenger. A NASA redesenhou os foguetes sólidos para torná-los mais seguros e fez uma série de alterações nos procedimentos operacionais para evitar a falha nas comunicações que contribuíram para o acidente da Challenger.

E a Voyager?

Em 24 de abril de 1989, a sonda Voyager 2 finalmente chegou ao planeta Netuno, o que resultou na primeira visão próxima do gigante azul e de suas luas. Os cientistas esperavam que Netuno fosse uma enorme esfera, sem características marcantes, como Urano, mas, em vez disso, descobriram um curioso ponto azul de

PODEMOS DIZER QUE O HALLEY É O COMETA MAIS FAMOSO DE TODOS, POIS MARCOU A PRIMEIRA VEZ QUE ASTRÔNOMOS ENTENDERAM QUE COMETAS PODERIAM SER VISITANTES QUE REGRESSARIAM EM NOSSOS CÉUS.

uma grande tempestade, semelhante à que temos em Júpiter com a sua extensa mancha vermelha. Também foram observados vários recursos dinâmicos em suas nuvens.

Na aproximação foram descobertas 6 novas luas e 4 anéis em torno de Netuno. Durante o encontro, os engenheiros da NASA mudaram cuidadosamente a direção e a velocidade da sonda, para que pudesse fazer um voo próximo da maior lua do planeta, Tritão. O sobrevoo registrou evidências de superfícies geologicamente jovens e gêiseres ativos lançando material para o céu. Isso mostrou que Tritão não era apenas uma bola de gelo sólida, embora tivesse temperatura superficial mais baixa que qualquer corpo natural observado pela Voyager 2, menos de 235 °C.

Foi a primeira vez que algum artefato feito por humanos visitou o sistema de Netuno, e também a última viagem ao planeta até então.

Os anos 1980 foram agitados para a exploração espacial. Apesar de termos assistido a uma tragédia terrível, podemos dizer que a humanidade estava se consolidando e aprendendo com cada passo e cada tropeço. Estávamos andando para fora de nossa casa, rumo às estrelas.

A próxima década irá trazer mais conquistas e iremos olhar mais longe do que já imaginávamos graças ao auxílio de um famoso telescópio.

Netuno em imagem obtida pela Voyager 2, em 25 de agosto de 1989.

Fonte: NASA/JPL.

1990–2000
OLHANDO CADA VEZ MAIS LONGE

SUPER NINTENDO OU MEGA DRIVE? NIRVANA OU PEARL Jam? Chegamos aos anos 1990! Década que viu o Brasil ser tetra campeão do mundo no futebol após um longo período sem levantar a taça.

Em 1991, as Forças Armadas dos Estados Unidos invadiram, com o apoio de outros países, o Iraque. Começava ali a Guerra do Golfo em território iraquiano.

Lá no meio da década, em 1995, o mundo assistiu à chegada do sistema operacional Windows 95, lançado pela Microsoft, e, no mesmo ano, nasceu a ovelha Dolly, fruto do primeiro processo de clonagem de um mamífero.

Ainda em 1995 (caramba, que ano agitado!) foi criado o DVD, mas ele chegou ao mercado em 1997. E antes do fim da década, as pesquisas nunca mais seriam as mesmas, pois em 1998 nascia o Google.

Também tivemos o fim da União Soviética, em 31 de dezembro de 1991, e a reunificação da Alemanha, em 1990.

Na cultura pop, as pessoas dançavam ao som de Radiohead, Soundgarden, Green Day e Alice in Chains, enquanto no Brasil Pato Fu, Planet Hemp e Charlie Brown Jr. ditavam as tendências.

Ahh, e teve o fenômeno dos *Cavaleiros do Zodíaco* na TV, como esquecer?

A VISÃO ALÉM DO ALCANCE

Em 24 de abril de 1990, o ônibus espacial Discovery decolou para a Missão STS-31, levando consigo o Telescópio Espacial Edwin P. Hubble. Apesar de a implantação ter sido um sucesso, um espelho primário apresentou falhas graves, o que resultou em imagens difusas. A frustração foi geral, anos e anos de desenvolvimento para obter imagens ruins, mas ainda bem que tínhamos os ônibus espaciais. Uma outra missão com ônibus espacial levou astronautas até o Hubble, onde instalaram um corretivo que resolveu o problema e o tornou o telescópio espacial mais poderoso já criado.

Após esse começo problemático, o telescópio começou a realizar inúmeras observações científicas que revolucionaram a nossa compreensão do espaço. Desde a determinação da idade do Universo a mudanças dramáticas nos corpos celestes no Sistema Solar, o Hubble passou a ser um dos maiores instrumentos científicos da humanidade.

Um fato curioso é que o Hubble já estava pronto para ser lançado em 1985, mas devido ao desastre com a Challenger, em 1986, os trabalhos com os ônibus espaciais foram paralisados. Sendo assim, o lançamento do Hubble foi adiado.

Enquanto a NASA resolvia os problemas de segurança dos ônibus espaciais, a equipe do Projeto Hubble (HST) aproveitou esse tempo para realizar mais trabalhos no telescópio. Os painéis solares foram aprimorados com uma nova tecnologia de células solares, a cobertura traseira (a extremidade que abriga os instrumentos científicos) foi modificada para facilitar a substituição do instrumento durante a manutenção e os computadores de sistemas de comunicação foram atualizados. O telescópio também foi submetido a mais testes de estresse para se preparar para as duras condições de decolagem e permanência no espaço. Sendo assim, quando foi finalmente lançado em 1990, ele estava, digamos, mais parrudo.

A Missão do Hubble era para durar cerca de quinze anos, sondando os confins mais distantes e fracos do cosmos, mas o Hubble excedeu esse objetivo, operando e observando o Universo por quase trinta anos. Durante seu tempo em órbita, o telescópio realizou mais de 1,4 milhão de observações, e os astrônomos usaram esses dados para divulgar mais de 16 mil publicações científicas revisadas por pares em uma ampla gama de tópicos.

Telescópio Hubble orbitando a Terra.

Entre os maiores feitos do Hubble está a contribuição para a compreensão do desenvolvimento e crescimento de galáxias, a presença de buracos negros na maioria delas, o nascimento de estrelas e a composição atmosférica de planetas fora do Sistema Solar. O Hubble é o nosso "Olho de Tandera" do desenho dos *Thundercats*, dando-nos a visão além do alcance.

Fonte: NASA.

Ainda em 1990, a sonda americana Magellan chegou ao planeta Vênus, onde começou a mapear a superfície coberta por nuvens usando o seu radar.

Em 2 de maio de 1992 tivemos a viagem inaugural do ônibus espacial Endeavour, o que elevou o número de orbitadores da frota de ônibus espaciais dos Estados Unidos para 4 novamente. A Missão STS-49 incluiu a captura e o resgate de um satélite de comunicações que estava preso em uma órbita errada.

Em 3 de fevereiro de 1994 tivemos o primeiro cosmonauta russo a viajar em um ônibus espacial. Sergei Krikalev voou a bordo da espaçonave americana durante a Missão Discovery STS-60.

No ano seguinte, 1995, Eileen M. Collins se tornou a primeira mulher a pilotar um ônibus espacial na Missão STS-63. Durante a missão, o ônibus espacial Discovery manobrou até 15 metros da estação espacial russa Mir, em preparação para uma futura atracação entre ele e a Mir.

GALILEU ORBITOU JÚPITER POR QUASE OITO ANOS E FEZ PASSAGENS PRÓXIMAS POR TODAS AS PRINCIPAIS LUAS DO SISTEMA.

A SONDA GALILEU

Em 7 de dezembro de 1995, a sonda Galileu chegou a Júpiter, lançada da Terra em 18 de outubro de 1989, do Centro Espacial John F. Kennedy, na Flórida, a bordo do ônibus espacial Atlantis. Foram seis anos de viagem.

Galileu orbitou Júpiter por quase oito anos e fez passagens próximas por todas as principais luas do sistema. Sua câmera e 9 outros instrumentos enviaram relatórios que permitiram aos cientistas determinar, entre outras coisas, que a lua gelada de Júpiter, Europa, provavelmente possuía um oceano subterrâneo com mais água do que a quantidade total encontrada na Terra (me deu sede só de imaginar). Eles descobriram erupções nos vulcões da lua Io. A extensa atividade vulcânica desse pequeno mundo poderia ser 100 vezes maior do que a encontrada em nosso planeta. O calor e a frequência de erupções forneceram aos cientistas um vislumbre de como poderia ter sido a superfície de uma Terra primitiva.

Também foi descoberto, graças a Galileu, que a lua gigante Ganímedes possui seu próprio campo magnético. Galileu até carregou uma pequena sonda que foi enviada para as profundezas da atmosfera de Júpiter, fazendo leituras por quase uma hora antes de ser esmagada pela enorme pressão da atmosfera do planeta gasoso.

Durante a missão, aprendemos um pouco mais sobre os anéis de Júpiter. Sim, até Júpiter tem anéis. Nosso Sistema Solar é bem vaidoso. O sistema de anéis de Júpiter é formado por poeira levantada quando meteoroides interplanetários se chocam contra as 4 pequenas luas internas do planeta. O anel mais externo é, na verdade, formado por 2 anéis, um incorporado ao outro.

O COMETA SHOEMAKER-LEVY 9

Esse foi um evento do qual me lembro bem; estampou capas de revistas como a *Superinteressante,* que trazia a frase "E se fosse aqui?". Descoberto por Carolyn e Eugene Shoemaker e David Levy em uma fotografia tirada em 18 de março de 1993 pelo telescópio Schmidt de 0,4 metro, no Observatório Palomar, na Califórnia, o Shoemaker-Levy 9 não caiu na Terra, mas fez o mundo parar para assistir à sua passagem.

Em 1993, quando foi descoberto, acreditava-se que o cometa Shoemaker-Levy 9 era um corpo único, porém ele já havia se dividido em mais de vinte pedaços, viajando ao redor de Júpiter em uma órbita de dois anos. Outras observações revelaram que o cometa tinha se aproximado do gigante gasoso em julho de 1992, por quem foi capturado e dilacerado, e no qual colidiu em julho de 1994, em razão de forças de maré resultantes da poderosa gravidade de Júpiter. Acredita-se que o cometa Shoemaker-Levy 9 orbitou o planeta por cerca de uma década antes de desaparecer nele.

E, pela primeira vez na História, a NASA tinha naves espaciais em posição para assistir. Era um feito inédito! Poderíamos ver uma colisão entre 2 corpos no Sistema Solar!

Galileu estava a caminho de Júpiter e capturou imagens diretas sem precedentes, quando os fragmentos rotulados de A e W se chocaram contra as nuvens daquele planeta. Os impactos começaram em 16 de julho de 1994 e terminaram em 22 de julho do mesmo ano.

Muitos observadores terrestres e naves espaciais em órbita, incluindo o Telescópio Espacial Hubble, Ulysses e a Voyager 2, também estudaram o impacto e suas consequências.

Esse "trem de carga" de fragmentos colidiu com Júpiter com a força de 300 milhões de bombas atômicas. Os fragmentos criaram enormes plumas com 2 mil a 3 mil quilômetros de altura e

Estas 4 imagens obtidas pela sonda Galileu a caminho de Júpiter mostram o impacto luminoso do fragmento W do cometa Shoemaker-Levy 9 no lado noturno do planeta. A sonda encontrava-se a 238 milhões de quilômetros de Júpiter e a 621 milhões de quilômetros da Terra no momento em que fez as imagens.

Fonte: NASA/JPL.

aqueceram a atmosfera a temperaturas tão quentes quanto 30 mil a 40 mil °C. Repito a manchete da revista que citei há pouco: e se fosse aqui? Respondo mais adiante.

Além do espetáculo, o fenômeno forneceu a oportunidade de obter novas ideias sobre Júpiter, Shoemaker-Levy 9 e as colisões cósmicas em geral. Os pesquisadores foram capazes de deduzir a composição e a estrutura do cometa. A colisão também deixou poeira flutuando no topo das nuvens de Júpiter. Observando a poeira se espalhar pelo planeta, os cientistas, pela primeira vez, conseguiram rastrear ventos de alta altitude no gigante gasoso. E, comparando as mudanças na magnetosfera com as mudanças na atmosfera depois do impacto, puderam estudar a relação entre elas.

Os cientistas calcularam que o cometa tinha originalmente cerca de 1,5 a 2 quilômetros de diâmetro. Se um objeto desse tamanho atingisse a Terra, seria devastador. O impacto poderia enviar poeira e detritos ao céu, criando uma névoa que esfriaria a atmosfera e absorveria a luz do Sol, envolvendo o planeta inteiro na escuridão. Se essa neblina durasse o suficiente, as plantas morreriam, junto com as pessoas e os animais que dependem delas para sobreviver.

Esses tipos de colisões eram mais frequentes no início do Sistema Solar. Aliás, os impactos dos cometas foram, provavelmente, a principal maneira pela qual outros elementos além do hidrogênio e do hélio chegaram a Júpiter.

Hoje, impactos desse porte provavelmente ocorrem com um espaço de séculos entre eles, e representam uma ameaça real.

A missão primária da Galileu seria realizada de outubro de 1989 a dezembro de 1997, mas a sonda estendeu sua missão até 2003, quando, depois de 34 órbitas em torno do planeta, a nave espacial mergulhou na atmosfera de Júpiter, em 21 de setembro de 2003.

MARS PATHFINDER

Em 4 de julho de 1997, a sonda robótica Mars Pathfinder pousou em Ares Vallis, em Marte, o primeiro *rover* robótico a trabalhar em solo marciano. Tanto o veículo terrestre quanto o veículo espacial de 10,6 kg carregavam instrumentos para realizar diversas observações científicas. Foram incluídos instrumentos científicos para analisar a atmosfera marciana, o clima, a geologia e a composição de suas rochas e solo.

A Mars Pathfinder inovou ao entrar diretamente na atmosfera de Marte, sendo auxiliada por um paraquedas que ajudou a diminuir sua descida na fina atmosfera do planeta. Um sistema gigante de airbags foi ativado a fim de a amortecer o impacto.

Desde o pouso até a transmissão final dos dados em 27 de setembro de 1997, a Mars Pathfinder retornou 2,3 bilhões de bits de informação, incluindo mais de 16.500 imagens do *lander* e 550 imagens do *rover*, além de mais de 15 análises químicas de rochas e solo e dados extensos sobre vento e outros fatores climáticos. As descobertas das investigações realizadas pelos instrumentos científicos da Missão Pathfinder sugerem que, no passado, Marte foi quente e úmido, ou seja, ele era bem parecido com a Terra antes de se tornar o deserto frio que é hoje.

Lembra do John Glenn, o primeiro astronauta americano a orbitar a Terra durante o Programa Mercury em 1962? Agora que já refresquei sua memória, em 29 de outubro de 1998 – após 33 anos –, John Glenn teve a oportunidade de retornar ao espaço a bordo do ônibus espacial Discovery, ao participar da Missão STS-95.

Os anos 1990 marcaram um período da exploração espacial no qual nossos olhos enxergaram mais longe e robôs puderam realizar missões no lugar de humanos. Foi uma década na qual vimos o inimaginável. A próxima década reserva mais inovações e descobertas nesse segmento, mas, infelizmente, os anos 2000 também foram marcados por uma nova tragédia.

2000–2010
MARTE É CONQUISTADO POR ROBÔS

E A HUMANIDADE CHEGOU AOS ANOS 2000. QUANDO

criança, nos anos 1980, eu (e muitos outros) imaginava que os anos 2000 seriam o momento de uma grande revolução tecnológica, com carros voadores, teletransporte... imaginação alimentada por filmes e séries que vislumbravam que no novo milênio teríamos resolvido quase todos os problemas do mundo. Bom, não tivemos carros voadores (e no momento em que escrevo isto, em 2019, ainda estou esperando poder dirigir meu Fiat 147 voador), mas resolvemos alguns problemas, ao mesmo tempo que passamos a enfrentar outros.

Os anos 2000 foram, pra variar, bem conturbados. Em 11 de setembro de 2001 tivemos os atentados terroristas ao World Trade Center, em Nova York, uma tragédia assistida ao vivo mundo afora e que resultou em uma retaliação dos Estados Unidos, que invadiram países do Oriente Médio na chamada "Guerra ao Terrorismo". As guerras no Iraque e no Afeganistão resultaram no fim da ditadura de Saddam Hussein e do regime Talibã.

Foi durante os anos 2000 que Plutão foi rebaixado de planeta para planeta-anão. E também tivemos grandes descobertas envolvendo os exoplanetas (planetas que residem fora do Sistema Solar).

Em 10 de setembro de 2008, após dez anos de construção, o Grande Colisor de Hádrons (LHC na sigla em inglês) começou a funcionar, assustando alguns conspiracionistas que acreditavam que o equipamento poderia gerar um buraco negro e engolir a Terra, mas se você está lendo este livro é porque as previsões deles não se realizaram.

O Brasil se tornou pentacampeão mundial no futebol masculino e grandes *blockbusters* nasceram nessa década, como as sagas *Harry Potter* e *Senhor dos Anéis*, a renovação da franquia *Batman* por Christopher Nolan e *Homem-Aranha* de Sam Raimi. Na TV, tivemos o fim da série *Friends*.

Foi uma década regada a Avril Lavigne e Linkin Park.

Na exploração espacial, tivemos grandes conquistas: pela primeira vez na História um artefato feito por humanos sairia do Sistema Solar, encontramos água em Marte e na nossa Lua, e, infelizmente, houve mais uma tragédia envolvendo ônibus espaciais.

Asteroide Eros e seus 33 quilômetros de diâmetro.

Mas calma lá, vamos começar do início.

Em 14 de fevereiro de 2000, a sonda Near Earth Asteroid Rendezvous - Shoemaker (NEAR Shoemaker) chegou a Eros, um asteroide monstruoso de aproximadamente 33 quilômetros de diâmetro, dando início a uma missão que durou um ano. Além de estudar a gravidade e a composição de Eros, a sonda também enviou imagens detalhadas da superfície do asteroide. O Eros, um asteroide de classe S, é um dos poucos com mais de 10 quilômetros de comprimento a ter uma órbita relativamente próxima da Terra. Acredita-se que ele seja maior do que aquele que caiu em nosso planeta há milhões de anos, na cratera de Chicxulub, dando fim aos dinossauros e a um imenso número de outras espécies.

O PRIMEIRO TURISTA NO ESPAÇO

Com o avanço da exploração espacial, a ideia de levar turistas para visitar o espaço começou a ganhar força. Imaginem só, poder olhar a Terra "de fora" dela. Muitos pagariam uma verdadeira fortuna para vislumbrar o que poucos olhos puderam ver.

E usando parte de sua fortuna, mais precisamente 20 milhões de dólares, o americano Dennis Tito garantiu seu lugar em uma cápsula espacial russa da Soyuz que o levou até a Estação Espacial Internacional (ISS).

Os americanos se opuseram à ideia de levar civis para a estação espacial, mas os russos não viram nenhum problema nisso, ainda mais embolsando alguns milhões. Pagamento feito, Tito partiu rumo ao espaço no dia 28 de abril de 2001. Segundo ele, o momento mais emocionante da aventura foi quando ele se comunicou via rádio com a sua família. Apesar de ter acesso limitado a bordo da ISS, Tito pôde realizar alguns trabalhos de rotina na estação.

O DESASTRE COM O ÔNIBUS ESPACIAL COLUMBIA

Em 1º de fevereiro de 2003, o ônibus espacial Columbia se preparava para aterrissar no Centro Espacial John F. Kennedy, após uma missão de dezesseis dias no espaço, na qual foram realizados cerca de 80 experimentos relacionados à vida em microgravidade, física dos fluidos e outros assuntos.

O ônibus fazia sua aproximação habitual de aterrissagem, pouco antes das 9 horas da manhã, horário local. Então, leituras anormais apareceram para o controle da missão em terra. As leituras de temperatura dos sensores localizados na asa esquerda foram perdidas. Em seguida, leituras de pressão dos pneus do lado esquerdo do ônibus também desapareceram.

Faltavam quarenta segundos para a nave entrar novamente na atmosfera, quando os astronautas relataram que já não era mais possível controlar a espaçonave, que ia deixando destroços por uma vasta região do Texas. O centro de controle contatou o Columbia para discutir as leituras de pressão dos pneus:

"Columbia, Houston, nós vimos as suas mensagens da pressão pneumática e não recebemos a última".

Às 8h59m32, o comandante da missão, Rick Husband, ligou de volta do Columbia:

"Roger...".

Seguido por uma palavra cortada no meio, foi o último contato da tripulação com o centro de controle.

Nesse momento, o Columbia estava perto de Dallas, viajando 18 vezes a velocidade do som e ainda a 61.770 metros acima do solo. O controle da missão tentou entrar em contato com os astronautas, mas sem sucesso.

Doze minutos depois, quando o Columbia deveria estar se aproximando da pista, um controlador da missão recebeu um telefonema. A pessoa que ligou afirmava que uma rede de TV estava mostrando o vídeo do ônibus espacial se despedaçando no céu, matando seus 7 tripulantes.

Estavam a bordo do Columbia Rick Husband, comandante; Michael Anderson, comandante de carga; David Brown, Kalpana Chawla e Laurel Clark, especialistas em missões; William McCool, piloto; e Ilan Ramon, especialista em carga útil da Agência Espacial Israelense.

Em 2008, a NASA divulgou um relatório dizendo que a tripulação do Columbia soube que morreria quarenta segundos antes da explosão. O documento também detalhou o que causou o acidente.

No relatório, a NASA revelou que um pedaço de espuma isolante acabou abrindo um buraco no lado esquerdo da nave durante seu lançamento, que não foi percebido durante o andamento da missão de dezesseis dias no espaço. Na volta para a Terra, esse

O COLUMBIA FOI O PRIMEIRO ÔNIBUS ESPACIAL A VOAR PARA O ESPAÇO, LÁ NO ANO DE 1981, E O ACIDENTE INTERROMPEU UMA SEQUÊNCIA DE 27 MISSÕES BEM-SUCEDIDAS.

buraco permitiu a entrada de ar quente, e, em um efeito dominó, a nave foi entrando em colapso até ser destruída por completo.

Como você leu aqui, o Columbia foi o primeiro ônibus espacial a voar para o espaço, lá no ano de 1981, e o acidente interrompeu uma sequência de 27 missões bem-sucedidas.

Depois do acidente, a NASA parou o Programa dos Ônibus Espaciais por dois anos, até que novas medidas de segurança fossem implantadas. O tanque externo do ônibus foi redesenhado, além de outras atualizações que visavam tornar as viagens mais seguras.

Em 2015, o Centro de Visitantes do Centro Espacial John F. Kennedy abriu a primeira exposição da NASA para exibir os detritos das missões Challenger e Columbia, chamada "Forever Remembered", e ela permanece mostrando parte da fuselagem do Challenger e caixilhos do Columbia, bem como artefatos pessoais de cada um dos 14 integrantes. A exposição foi criada com a colaboração das famílias dos astronautas perdidos nas missões.

A equipe recebeu várias homenagens à sua memória ao longo dos anos. Em Marte, o local de pouso do *rover* Spirit ganhou o nome de Columbia Memorial Station. Além disso, 7 asteroides que orbitam o Sol entre Marte e Júpiter agora levam o nome da tripulação.

Tripulação do ônibus espacial Columbia, da esquerda para a direita: David Brown, Rick Husband, Laurel Clark, Kalpana Chawla, Michael Anderson, William McCool e Ilan Ramon.

QUEDA DA ESTAÇÃO ESPACIAL MIR

A estação espacial Mir chegou ao fim de sua jornada no começo do ano de 2001. Lançada em 1986, na então União Soviética, o plano era que sua vida útil fosse de cerca de cinco anos, mas a estação se provou mais resistente do que se pensava, e só foi abandonada quando vários problemas técnicos e estruturais acabaram afetando seu funcionamento em novembro de 2000. Foi então que o governo russo anunciou que a desativaria.

Foram quinze anos na órbita da Terra. Ela recebeu dezenas de membros de tripulação e visitantes internacionais, foi palco da primeira safra de trigo a ser cultivada de semente a semente no espaço sideral, entre outros importantes experimentos envolvendo a saúde humana no ambiente espacial.

A estação foi alvo de controvérsias ao longo de sua existência devido aos muitos acidentes que sofreu. O mais famoso aconteceu em 24 de fevereiro de 1997, durante a Missão STS-81. Na ocasião, o ônibus espacial Atlantis levava uma tripulação e suprimentos e realizava uma série de testes quando ocorreu o pior incêndio a bordo de uma espaçonave em órbita.

Isso acabou gerando uma série de falhas em sistemas de bordo, uma quase colisão com uma nave de carga de reabastecimento Progress e perda total de energia elétrica da estação.

A perda de energia provocou uma diminuição no controle de altitude, o que levou a estação a seguir por uma "queda" descontrolada pelo espaço. Felizmente a equipe conseguiu conter o incêndio e recuperar o controle da estação antes que acontecesse algo pior. São momentos assim que me fazem pensar que eu não serviria para ser astronauta; com a primeira faísca na nave eu iria chorar em posição fetal.

Outro grande incidente ocorreu em 25 de junho daquele ano, quando a nave de reabastecimento Progress colidiu com os painéis solares no módulo Spektr, o que resultou em um buraco que causou a perda de pressão da estação. Essa foi a primeira despressurização orbital da história dos voos espaciais, mas felizmente nenhum membro da tripulação perdeu a vida nesse incidente.

Mas a história da Mir não se resume apenas a acidentes. A estação serviu de palco para a primeira parceria técnica em larga escala entre a Rússia e os Estados Unidos após meio século de Guerra Fria. E se não fosse por essa colaboração, nunca haveria uma ISS; sem a Mir, os numerosos esforços de pesquisa conjunta entre NASA, ESA, Roscosmos e outras agências espaciais governamentais não teriam sido possíveis.

Então, em 24 de agosto de 2001, uma nave de carga Progress levou para a estação o dobro da quantidade de combustível habitual. Esse combustível extra seria usado para disparar os propulsores da Progress, uma vez atracada à Mir, que empurraria a estação espacial para uma descida controlada pela atmosfera terrestre.

Lembro-me de que na época se falava muito da queda da Mir e havia pessoas com medo de algum fragmento cair em sua linda cabeça. O governo russo adquiriu um seguro caso a estação espacial atingisse qualquer área povoada ao colidir com a Terra. Para a sorte de todos, a estação acabou caindo no Oceano Pacífico Sul, aterrissando a uma distância de 2.897 km da Nova Zelândia.

O ROVER SPIRIT CHEGOU AO PLANETA VERMELHO EM UM LOCAL CONHECIDO COMO CRATERA GUSEV, EM 3 DE JANEIRO DE 2004.

O PRIMEIRO VOO ESPACIAL TRIPULADO CHINÊS

Tenho falado muito de americanos e russos neste livro, mas não quer dizer que outras nações não estavam de olho nas estrelas. Uma nação que tem dado passos largos na exploração espacial é a China. Hoje os chineses têm em funcionamento uma sonda, a Chang'e-4, no lado mais distante da Lua em relação à Terra, e em 15 de outubro de 2003, a espaçonave Shenzhou 5 foi lançada do Centro de Lançamento de Satélites Jiuquan, na China. A bordo estava Yang Liwei, que se tornou o primeiro homem enviado para o espaço pelo programa espacial chinês. Ele realizou 14 órbitas, totalizando 21 horas no espaço, retornando para a Terra na manhã do dia 16.

A China estabeleceu metas para uma eventual estação tripulada e também uma missão tripulada para a Lua.

NOVOS EXPLORADORES MARCIANOS

No ano de 2004 Marte ganhou as manchetes em mídias especializadas em assuntos científicos. Depois de uma descida amparada por paraquedas e um pouso tranquilo fazendo uso de airbags gigantes, o *rover* Spirit chegou ao Planeta Vermelho em um local conhecido como cratera Gusev, em 3 de janeiro de 2004. Entre suas inúmeras descobertas, o Spirit encontrou evidências de que Marte já foi muito mais úmido do que é hoje e ajudou os cientistas a entenderem melhor os ventos marcianos.

Spirit superou e muito sua missão planejada para noventa dias (essas sondas adoram hora extra), tendo que fazer uma aposentadoria obrigatória em 25 de maio de 2011. Depois de se atolar em um local de solo macio chamado Troy, o *rover* se viu com apenas 5

WERNHER VON BRAUN

Fonte: NASA/MSFC.

SATURNO V

Fonte: NASA Image and Video Library.

EARTHRISE

Fonte: NASA Image and Video Library.

EM 20 DE JULHO DE 1969, ESTIMA-SE QUE CERCA DE 530 MILHÕES DE PESSOAS ASSISTIRAM PELA TV NEIL ARMSTRONG SER O PRIMEIRO HUMANO A PISAR NA LUA, CUMPRINDO O DESAFIO LANÇADO ANOS ANTES PELO PRESIDENTE AMERICANO KENNEDY. ERA A PRIMEIRA VEZ QUE ESTÁVAMOS EM OUTRO MUNDO.

Fonte: NASA Image and Video Library.

Fonte: NASA/JPL.

MARINER 2.

OS DISCOS DE OURO DAS VOYAGERS.

Fonte: NASA/JPL-Caltech.

MONTAGEM MOSTRANDO A SONDA PIONNER 11 COM O PLANETA SATURNO FOTOGRAFADO POR ELA AO FUNDO.

Fonte: NASA Image and Video Library.

LANÇAMENTO INAUGURAL DO ÔNIBUS ESPACIAL ATLANTIS, EM 3 DE OUTUBRO DE 1985.

Fonte: NASA/KSC.

A SONDA ESPACIAL KEPLER.

Fonte: NASA Image and Video Library.

NESTA IMAGEM DO GAIA TEMOS UMA VISÃO TOTAL DA VIA LÁCTEA E DAS GALÁXIAS VIZINHAS, COM BASE EM MEDIÇÕES DE QUASE 1,3 BILHÃO DE ESTRELAS EXIBIDAS EM UMA PROJEÇÃO EQUIRETANGULAR. ELA FOI OBTIDA PROJETANDO A ESFERA CELESTE EM UM RETÂNGULO E É ADEQUADO PARA APRESENTAÇÕES EM DOMO COMPLETO.

O ÔNIBUS ESPACIAL CHALLENGER, EM 1985.

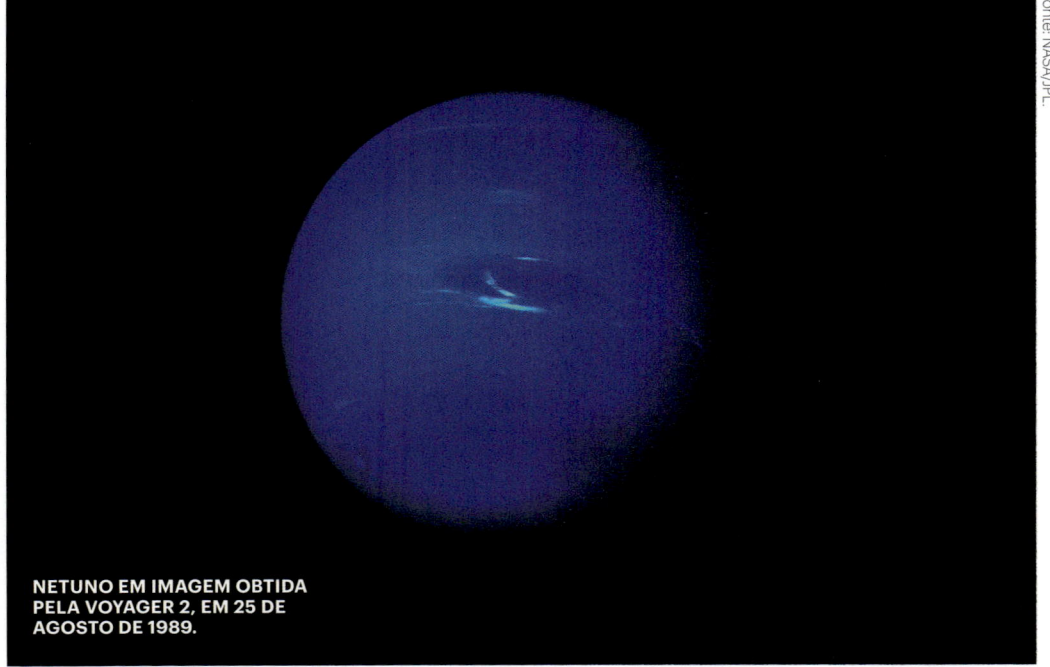

Fonte: NASA Image and Video Library.

NETUNO EM IMAGEM OBTIDA PELA VOYAGER 2, EM 25 DE AGOSTO DE 1989.

Fonte: NASA/JPL.

UMA DAS ÚLTIMAS FOTOS DE SATURNO OBTIDAS PELA SONDA CASSINI ANTES DE FINALIZAR SUA MISSÃO, MERGULHANDO NA ATMOSFERA DO PLANETA.

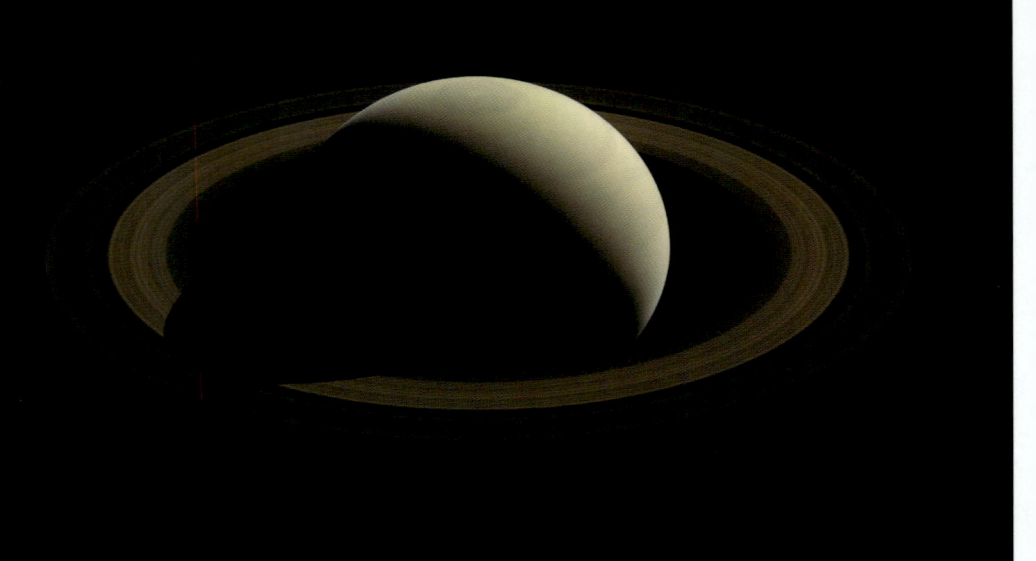

Fonte: NASA/JPL-Caltech/Space Science Institute.

ÔNIBUS ESPACIAL ENDEAVOUR RETORNANDO DE SUA ÚLTIMA MISSÃO, EM JUNHO DE 2011.

Fonte: NASA Image and Video Library.

O TELESCÓPIO ESPACIAL GAIA.

Fonte: ESA

Fonte: NASA/Johns Hopkins University Applied Physics Laboratory/Southwest Research Institute/Goddard Space Flight Center.

MONTAGEM UNINDO DUAS IMAGENS OBTIDAS EM 2007 PELA SONDA NEW HORIZONS, MOSTRANDO JÚPITER E SUA LUA VULCÂNICA IO.

Fonte: NASA.

SELFIE TIRADA PELO CURIOSITY, EM 11 DE OUTUBRO DE 2019, EM COMEMORAÇÃO AO 2.553º DIA MARCIANO DA MISSÃO EM MARTE.

PLUTÃO FOTOGRAFADO PELA NEW HORIZONS.

Fonte: NASA/JHUAPL-SwRI.

FOTO DO TEMPESTUOSO HEMISFÉRIO NORTE DE JÚPITER, CAPTURADA PELA SONDA JUNO, DA NASA.

Fonte: NASA/JPL-Caltech/SwRI/MSSS/Kevin M. Gill.

MARTE, SONHO DE CONSUMO DE ELON MUSK, EM FOTO OBTIDA PELO TELESCÓPIO ESPACIAL HUBBLE, EM 12 DE MAIO DE 2016.

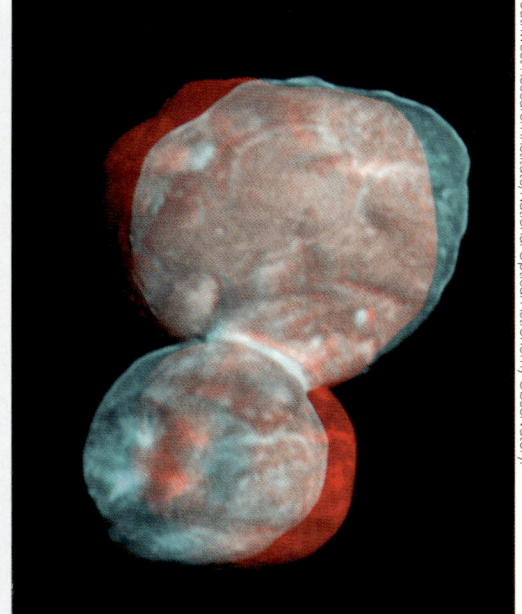

Fonte: NASA and the Hubble Heritage Team (STScI/AURA).

ULTIMA THULE FOTOGRAFADO PELA NEW HORIZON EM 1º DE JANEIRO DE 2019.

Fonte: NASA/Johns Hopkins University Applied Physics Laboratory/Southwest Research Institute/National Optical Astronomy Observatory.

Fonte: NASA.

Ártemis I: Primeira nave espacial humana a viajar à Lua no século XXI

Ártemis II: Primeiros humanos a orbitar a Lua no século XXI

Missão de apoio à Ártemis: Primeiro sistema de propulsão a energia solar (SEP) de alta potência

Missão de apoio à Ártemis: Primeiro módulo pressurizado entregue ao Gateway

Missão de apoio à Ártemis: Sistema de pouso humano entregue ao Gateway

Ártemis III: Missão tripulada ao Gateway e à superfície lunar

SERVIÇOS COMERCIAIS LUNARES DE CARGA ÚTIL
- CLPS – cargas úteis de ciência e tecnologia entregues

POUSO DE CARGA ÚTIL EM GRANDE ESCALA
- Capacidades aumentadas para cargas úteis de ciência e tecnologia

PRIMEIRAS MISSÕES NO POLO SUL
- Primeiro pouso robótico no futuro local de retorno humano na Lua e utilização de recursos in situ (ISRU)

HUMANOS NA LUA – SÉCULO XXI
Primeira tripulação aproveita infraestrutura deixada por missões anteriores

LOCAL ALVO DO POLO SUL LUNAR

A LINHA DO TEMPO DA MISSÃO ÁRTEMIS.

Fonte: ESA/M. Kornmesser.

TELESCÓPIO JAMES WEBB (À DIREITA) EM COMPARAÇÃO COM O TELESCÓPIO ESPACIAL HUBBLE (À ESQUERDA).

IMAGEM COLORIDA DA SUPERFÍCIE DE VÊNUS, TIRADA PELA SONDA VENERA 13.

Fonte: Soviet Planetary Exploration Program, NSSDC.

Fonte: NASA.

ARTE CONCEITUAL DA NASA MOSTRANDO O POUSO DO DRAGONFLY (À DIREITA), E, EM SEGUIDA, O VOO DA ESPAÇONAVE EM TITÃ (À ESQUERDA).

OS TRIPULANTES DA CHALLENGER, EM FOTO TIRADA EM 9 DE JANEIRO DE 1986. DA ESQUERDA PARA A DIREITA ESTÃO A PROFESSORA CHRISTA MCAULIFFE, OS ASTRONAUTAS GREGORY JARVIS E JUDITH RESNIK, O COMANDANTE DA MISSÃO DICK SCOBEE, O ASTRONAUTA RONALD MCNAIR, O PILOTO MIKE SMITH E O ASTRONAUTA ELLISON ONIZUKA.

SALLY K. RIDE A BORDO DA CHALLENGER.

TRIPULAÇÃO DO ÔNIBUS ESPACIAL COLUMBIA, DA ESQUERDA PARE A DIREITA: DAVID BROWN, RICK HUSBAND, LAUREL CLARK, KALPANA CHAWLA, MICHAEL ANDERSON, WILLIAM MCCOOL E ILAN RAMON.

Fonte: NASA

MCCANDLESS ANDANDO LIVREMENTE PELO ESPAÇO, FOTO TIRADA EM 12 DE FEVEREIRO DE 1984.

FONTE: NASA

rodas para tentar realizar um esforço de resgate. Então, após meses de testes e manobras cuidadosamente planejadas, a NASA encerrou os trabalhos para tentar libertar o veículo espacial.

Vinte e dois dias depois do pouso do Spirit, foi a vez de seu "*rover* irmão", o Opportunity, descer no lado oposto do planeta Marte, em um local conhecido como Meridiani Planum. Assim como o Spirit, o Opportunity teve sua missão estendida por vários anos. Junto com o seu companheiro Spirit, o Opportunity enviou imagens extraordinárias da superfície marciana e realizou diversos experimentos químicos em amostras de rochas. Entre suas descobertas, posso destacar formações rochosas em camadas que poderiam ter sido formadas sob águas de um oceano antigo, e "demônios de poeira", mas calma lá, não entre em pânico, isso não é um alienígena maléfico! Demônios de poeira são fenômenos semelhantes a tornados, que se deslocam pela superfície.

O Opportunity teve uma longa missão de quinze anos em superfície marciana, da qual ele percorreu 45 quilômetros, um recorde.

A missão do Opportunity terminou após uma tempestade de poeira que envolveu o planeta, impedindo que o *rover* recarregasse suas baterias solares e reestabelecesse suas funções. Seu último contato com a Terra foi em 10 de junho de 2018.

Tanto o Spirit quanto o Opportunity foram projetados para serem o equivalente robótico a um geólogo andando de um lugar para outro em Marte. As câmeras montadas em seus mastros possuíam 1,5 metro de altura e ofereciam uma visão de 360° do terreno para os olhos de duas pessoas. O braço robótico movia-se como um braço humano, com cotovelo e punho, que podia colocar instrumentos diretamente em seus alvos nas rochas e no solo. A "mão" mecânica do braço segurava uma câmera microscópica que servia ao mesmo objetivo das lentes de aumento de um geólogo. Tinha também a

O SPACESHIPONE FOI CONSTRUÍDO PELO FAMOSO DESIGNER AEROESPACIAL BURT RUTAN, DA SCALED COMPOSITERS, COM BASE EM MOJAVE E TENDO APOIO FINANCEIRO DO COFUNDADOR DA MICROSOFT, PAUL ALLEN.

Rock Abrasion Tool, com a função de um martelo de geólogo e que ajudava a revelar o interior das rochas.

Com os dados enviados pelos veículos, os cientistas da missão reconstruíram o passado antigo do Planeta Vermelho, quando ele ainda estava inundado por água. Spirit e Opportunity encontraram evidências de condições úmidas passadas que possivelmente poderiam ter sustentado algum tipo de vida microbiana.

Quando noticiei em meu canal no YouTube sobre a perda do contato com o Opportunity, eu estava bem chateado. Pensei em todas as pessoas envolvidas na missão, desde sua concepção até os cientistas que tentaram mais de mil vezes reestabelecer contato com o *rover*. O tanto de tempo investido, recompensado por diversos dados e imagens de um lugar que ainda não podemos tocar.

Chega a ser cômico, pois a máquina não pôde sentir e minha chateação nem sequer faria sentido para ela (lembrando aqui *O exterminador do futuro 2*, quando o T 800 fala de sua incapacidade de chorar), mas o fim da missão é como deixar um amigo que lhe ensinou muitas coisas pelo caminho, enquanto seguimos adiante.

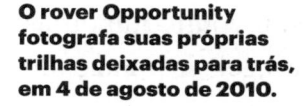

Fonte: NASA/JPL-Caltech.

O rover Opportunity fotografa suas próprias trilhas deixadas para trás, em 4 de agosto de 2010.

SPACESHIPONE

Hoje falamos muito de empresas privadas que almejam seu lugar no espaço, mas não posso passar pelo início dos anos 2000 sem dedicar algumas linhas a quem "abriu as porteiras" para a iniciativa privada na exploração espacial: a SpaceShipOne.

Construída e financiada pelo setor privado, ela deixou seu nome na História como a primeira espaçonave não governamental a ser lançada ao espaço, em 21 de junho de 2004. O piloto Mike Melvill voou a bordo da espaçonave a uma altitude de 100 quilômetros. A SpaceShipOne foi construída pelo famoso designer aeroespacial Burt Rutan, da Scaled Composites, com base em Mojave e tendo apoio financeiro do cofundador da Microsoft, Paul Allen.

A MISSÃO CASSINI

Após uma longa jornada de quase sete anos, a sonda Cassini, da NASA, chega a Saturno em 1º de julho de 2004, onde passou quatro anos fotografando o planeta rodeado por suas muitas luas. A Cassini carregava consigo outra pequena sonda chamada Huygens, que mais tarde pousaria na lua Titã.

A Missão Cassini, em Saturno, foi uma das mais ambiciosas no âmbito da exploração espacial, uma colaboração da NASA, da Agência Espacial Europeia (ESA) e da Agenzia Spaziale Italiana (ASI) (*capisce?*). A Cassini era uma espaçonave robótica bem sofisticada que orbitou e estudou o sistema de Saturno em detalhes.

A Cassini completou sua missão principal em 2008, e a primeira extensão veio em setembro de 2010, que foi nomeada de Missão Cassini Equinox.

Por mais de uma década, a sonda Cassini compartilhou as maravilhas de Saturno e suas misteriosas luas geladas, trazendo

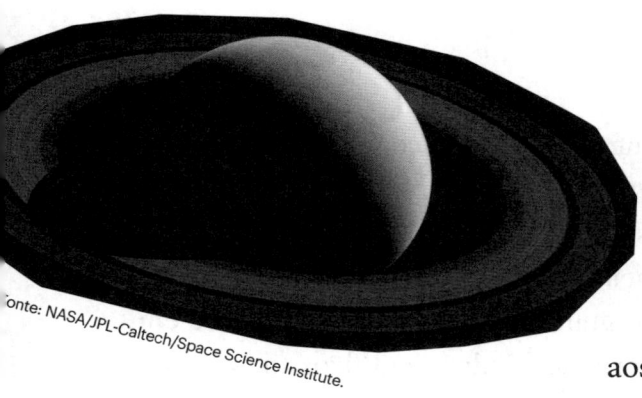

Uma das últimas fotos de Saturno obtidas pela sonda Cassini antes de finalizar sua missão, mergulhando na atmosfera do planeta.

Fonte: NASA/JPL-Caltech/Space Science Institute.

aos nossos olhos mundos impressionantes, com paisagens só vistas na ficção científica, como Titã, onde rios de metano cobrem parte de sua superfície, ou Encélado, onde jatos de gelo e gás são lançados para o espaço a partir de água em estado líquido em um oceano submerso, que pode abrigar os ingredientes para a vida. A Cassini expandiu a nossa compreensão sobre os tipos de mundos em que a vida poderia existir.

Sua "passageira", a sonda europeia Huygens, foi o primeiro objeto feito por humanos a pousar em um mundo do Sistema Solar externo. Descobrimos que Titã é um dos mundos mais parecidos com a Terra, o que nos fez entender melhor o passado de nosso planeta natal. Huygens parou de transmitir dados para o nosso planeta cerca de noventa minutos após o pouso.

A Cassini revelou detalhes impressionantes do senhor dos anéis do Sistema Solar, um mundo gigante governado por tempestades violentas e harmonias delicadas de gravidade. A humanidade pôde apreciar belas imagens de um planeta tão distante pelas lentes da Cassini: vimos suas nuvens, detalhes de seus anéis, os jatos de Encélado, Titã, a lua em forma de ravióli Pan, e inúmeros outros objetos e recursos. As imagens e dados da Cassini estão fazendo ciência até os dias de hoje.

Então, depois de vinte anos no espaço, treze deles explorando Saturno, a Cassini esgotou seu suprimento de combustível; era hora de dizer mais um adeus. Em uma decisão que visava proteger as luas de Saturno, que poderiam ter condições adequadas para a vida, os engenheiros da NASA enviaram a sonda para uma missão final ousada, que selaria seu destino. Depois de uma série de dezenas de mergulhos vertiginosos entre o planeta e seus anéis de gelo, a Cassini mergulhou na atmosfera de Saturno em 15 de setembro de 2017, retornando dados científicos até o último suspiro da missão.

Em 2005, podemos destacar alguns acontecimentos nessa nossa jornada pelo Sistema Solar. No dia 4 de julho, após 174 dias, a sonda espacial Deep Impact cumpriu sua missão ao atingir com sucesso um cometa conhecido como Tempel 1 a uma velocidade de 10,3 km/s, uma porrada! A nave mãe da sonda fotografou o impacto e analisou os detritos resultantes dele. Entre as muitas descobertas, ficamos sabendo que havia gelo de água no interior do cometa. E foi em 2005 que tivemos o retorno das missões com os ônibus espaciais após a tragédia com o Columbia. No dia 26 de julho de 2005, o ônibus espacial Discovery foi lançado do Centro Espacial John F. Kennedy, porém o voo não foi bem-sucedido, trazendo de volta o fantasma dos desastres envolvendo esse tipo de espaçonave. Câmeras registraram um pedaço de espuma se rompendo no tanque de combustível durante o lançamento, algo que comprometeu o Columbia. Então a NASA paralisou mais uma vez o Programa dos Ônibus Espaciais até que o tanque de combustível líquido pudesse ser redesenhado.

No ano seguinte, 2006, demos outro passo importante em nosso entendimento sobre os nossos arredores cósmicos. No dia 15 de janeiro, após uma jornada de quase sete anos e 4,6 bilhões de quilômetros, a sonda Stardust, da NASA, obteve sucesso em sua missão ao descer em segurança no deserto de Utah, trazendo a bordo as primeiras amostras de um cometa para a Terra, o Wild

EM 6 DE MARÇO DE 2009, A SONDA KEPLER, DA NASA, INICIOU UMA MISSÃO À PROCURA DE PLANETAS FORA DO SISTEMA SOLAR, TAMBÉM CHAMADOS DE EXOPLANETAS.

2. Stardust conseguiu coletar amostras de poeira e partículas na coma do cometa a 236 quilômetros dele. Por meio da análise dessas amostras, os cientistas acreditam que os cometas podem ser constituídos do material primitivo da formação do Sistema Solar.

INDO ALÉM DO SISTEMA SOLAR

Se você achou que a curiosidade humana se restringia aos arredores do Sistema Solar, enganou-se. À medida que nossas tecnologias evoluíam, passamos a tentar ver cada vez mais longe, além dos limites de nosso quintal cósmico.

Em 6 de março de 2009, a sonda Kepler, da NASA, iniciou uma missão à procura de planetas fora do Sistema Solar, também chamados de exoplanetas. Essa espaçonave foi a primeira do gênero e faz uso de uma técnica conhecida como método de trânsito para procurar planetas distantes. O método funciona da seguinte maneira: à medida que um planeta se move na frente de sua estrela, percorrendo seu disco, com respeito à linha de visada, acontece uma diminuição de seu brilho em um ciclo regular. O Kepler foi projetado para detectar esse ciclo e, por consequência, detectar um planeta, assim como dizer quais são o seu tamanho e a órbita aproximada.

Desde que o Kepler foi lançado, os astrônomos foram capazes de descobrir milhares de planetas extrassolares, a maioria dos quais tem um tamanho entre o da Terra e o de Netuno, que é 4 vezes maior que a nossa casa. Muitos desses planetas foram descobertos em uma pequena região localizada na constelação de Cygnus, para a qual o Kepler foi apontado em seus quatro primeiros anos de missão.

O Kepler descobriu 2.682 exoplanetas durante seu período de atividade e há mais 2.900 candidatos a planetas aguardando confirmação. A tendência sugere que a maioria deles sejam realmente planetas. A missão durou mais tempo do que havia sido planejado (olha a hora extra aí), mesmo após apresentar problemas para apontar seus instrumentos, em 2013, o que forçou os controladores da missão a criar uma missão K2 na qual o Kepler mudou sua visão para diferentes pontos do céu.

Nos primeiros anos de sua caça a planetas, o Kepler foi capaz de detectar grandes gigantes gasosos, alguns do tamanho de Júpiter e outros ainda maiores, que estavam à espreita, perto de sua estrela hospedeira. Também foram encontradas "super-Terras", planetas que são um pouco maiores que o nosso, mas menores que os planetas gasosos do Sistema Solar, como Netuno, e que possuem uma superfície rochosa.

As descobertas do Kepler permitiram que os astrônomos pudessem agrupar exoplanetas em tipos, o que ajudou a entender suas origens.

Entre dezembro de 2016 e março de 2017, o Kepler examinou o sistema TRAPPIST-1, onde se acredita que existam vários planetas do tamanho da Terra. Em fevereiro, outra equipe de astrônomos anunciou que mais planetas do tamanho do nosso foram encontrados e os cientistas que trabalhavam com o Kepler divulgaram os dados brutos de suas observações do sistema TRAPPIST-1 para que outras equipes analisassem, caso tivessem interesse.

Podemos dizer que a maior conquista da Missão Kepler foi nos mostrar que os sistemas planetários podem existir em uma infinidade de configurações. Eles podem existir em um sistema compacto, equivalente à órbita do planeta Mercúrio; também pode haver planetas orbitando 2 estrelas, como em Tatooine, planeta fictício da saga *Star Wars*. E para os entusiastas em vida fora da Terra, o Kepler fez descobertas empolgantes: por exemplo, revelou que pequenos planetas rochosos semelhantes ao nosso são mais comuns do que gigantes gasosos enormes, como Júpiter.

O Kepler foi lançado com 12 litros de hidrazina em seu tanque de combustível, alimentando os propulsores que ajudam a corrigir sua deriva e a realizar suas manobras, incluindo direcionar para novos pontos de observação no Universo e orientar seus transmissores para a Terra para realizar o *downlink* de dados científicos e também receber novos comandos. Como o Kepler não possui um medidor preciso no tanque de combustível, os engenheiros só podiam ter uma estimativa de quando ele esvaziaria. Em 30 de outubro de 2018, a NASA fez o anúncio: o Kepler havia esgotado seu combustível. A missão foi oficialmente descontinuada em 15 de novembro de 2018.

Despedimo-nos dos primeiros anos de 2000 sabendo que o Universo oferece mundos complexos e até mesmo parecidos com a Terra, orbitando os gigantes gasosos. Foi uma década em que tocamos cometas e chegamos além dos limites do domínio do Sol.

A próxima década foi revolucionária na exploração espacial em vários campos. Empresas privadas cada vez mais empenhadas em realizar missões ambiciosas, agências governamentais voltando a olhar para a Lua, e descobertas que confirmaram teorias de Albert Einstein, formuladas há um século.

A sonda espacial Kepler.

Fonte: NASA Image and Video Library.

ARRISCO-ME
EM DIZER QUE
A ATUAL DÉCADA
É A MELHOR
PARA QUEM É
AFICIONADO
PELO COSMOS.

2010–2019
O ESPETÁCULO DA SPACEX

CHEGAMOS AOS ANOS DE 2010 (NUNCA SEI COMO CHA-
mar essa década: anos 10, anos 2010, futuro do *Blade Runner*...), período que, no momento em que estou escrevendo este livro, ainda não terminou. Tem alguns meses pela frente, mas já posso adiantar que está sendo revolucionária para a exploração espacial.

Uma década que começou com uma forte ressaca econômica devido à grande crise mundial que afetou principalmente a União Europeia nos anos anteriores. Foi também uma década em que os Estados Unidos começaram a enxergar a China no espelho retrovisor na corrida pelo status de superpotência.

O fantasma dos desastres nucleares rondou o mundo em 2011. Após um forte terremoto, 3 reatores nucleares da usina de Fukushima, no Japão, explodiram, espalhando grandes doses de radiação pela região.

A TV, até então a mídia mais influente, começou a perder força; os jovens estão mais conectados à internet do que brigando pelo controle remoto. Para não ficar obsoleta, a TV tornou-se Smart TV (se não pode com eles, junta-se a eles).

Os heróis dos quadrinhos ganharam o mundo, o cinema viu nascer o Universo Cinematográfico Marvel, cujos filmes se conectam, fazendo parte de uma grande saga, assim como era feito em sua mídia de origem, dando trabalho para DC Comics, editora rival, casa de Batman e Superman.

Nossos costumes mudaram, não existem mais videolocadoras, vemos os filmes via *streaming*, escutamos músicas pelo Spotify, e mídias físicas como CDs e DVDs parecem estar com os dias contados (melhor para o mundo).

É uma década embalada pelo eclético. Não existe mais um gênero musical dominante ou uma "banda de uma geração", as pessoas escutam de tudo, de Lady Gaga a BTS, de Adele a Psy.

Foi em nossa história mais recente que vimos o anúncio da descoberta do Bóson de Higgs, também conhecido como a "Partícula de Deus". E, na segunda metade da década, o mundo confirmou que Albert Einstein estava certo ao prever as ondas gravitacionais, detectadas pelo Projeto LIGO (Laser Interferometer Gravitational-Wave Observatory) pela primeira vez.

Ahh, e teve aquela primeira foto do horizonte de eventos de um buraco negro.

Mas e na exploração espacial? Até onde fomos? Acho que podemos dizer que, nesse segmento, a década ficou marcada pelo nome de uma empresa:

{ **SPACEX** }

Mas estou me adiantando aqui, então, mais uma vez, vamos começar pelo início.

O HOMEM QUE SONHAVA COM MARTE

No fim dos anos de 2010, uma empresa criada por um sul-africano-canadense-americano chamado Elon Musk, empreendedor e filantropo (sempre comparado ao Tony Stark, o Homem de Ferro), torna-se a primeira empresa privada a lançar uma espaçonave para a órbita baixa da Terra e trazê-la de volta em segurança. Até então, missões audaciosas como essa eram uma exclusividade das agências governamentais.

A cápsula não tripulada, batizada de Dragon, foi lançada do Cabo Canaveral, em 8 de dezembro, a bordo do foguete Falcon 9.

Após completar duas órbitas ao redor da Terra, a sonda Dragon mergulhou com sucesso no Oceano Pacífico, na costa do México.

Fundada em 2002, a SpaceX projeta, fabrica e lança seus próprios foguetes e naves espaciais. Musk sempre sonhou com Marte e exploração espacial e investe fortunas para ver esse sonho acontecer e permitir que as pessoas possam compartilhar desse sonho e viver em outros planetas.

Em seus primeiros anos, não parecia que a SpaceX se tornaria a poderosa do ramo da exploração espacial que vemos hoje. Até o sucesso do lançamento do Falcon 1, a empresa amargou 3 tentativas fracassadas. Mas Musk se cercou de pessoas competentes e visionárias, como Gwynne Shotwell, e investidores, como os membros do Founder Fund, que não deixaram a peteca cair e ajudaram a SpaceX a firmar contratos bilionários com a NASA e a Força Aérea Americana.

Hoje a empresa que gerou desconfiança no seu início irregular está avaliada em mais de 30 bilhões de dólares e tem mais de 6 mil funcionários em todo o território dos Estados Unidos. Os anos de 2010 foram marcados profundamente pelas conquistas da SpaceX, que trouxe de volta a curiosidade e a empolgação pela exploração espacial, algo que se perdeu com o tempo depois das Missões Apollo e do fim do Programa dos Ônibus Espaciais.

Mais adiante volto a falar de mais feitos da SpaceX. Agora quero discorrer um pouco sobre um planeta esquecido do Sistema Solar.

MISSÃO MESSENGER

Em 18 de março de 2011, após seu lançamento em 2004, a espaçonave Messenger, da NASA, tornou-se o primeiro artefato feito por humanos a orbitar um planeta até então meio esquecido na exploração espacial: Mercúrio. Sua viagem de seis anos e meio em direção a Mercúrio foi marcada por várias manobras de estilingue gravitacional através do Sistema Solar interno, incluindo um sobrevoo pela Terra em 2 de agosto de 2005, 2 sobrevoos por Vênus, em 24 de outubro de 2006 e 5 de junho de 2007, e 3 passagens por Mercúrio, em 14 de janeiro de 2008, 6 de outubro do mesmo ano e 29 de setembro de 2009.

Essas manobras auxiliares gravitacionais permitiram que a sonda resolvesse os problemas envolvendo forte aceleração que acompanha um voo na direção do Sol. Esses sobrevoos ajudaram a desacelerar a nave em relação a Mercúrio e também economizou o trabalho do propulsor, reservando energia para realizar sua missão orbital. A órbita da Messenger em torno do pequeno planeta era altamente elíptica, aproximadamente 9.300 x 200 km, com um período orbital de 12 horas.

A Messenger, sigla em inglês para Mercury Surface, Space Environment, Geochemistry and Ranging, iniciou uma missão que visava mapear e obter imagens em alta resolução da superfície do planeta mais próximo do Sol, bem como de sua atmosfera, além de buscar sinais de água congelada escondida em algum lugar na superfície.

Com base em suas descobertas, agora sabemos que Mercúrio é um mundo de extremos. Ele é o menor, mais denso e o dono da superfície mais antiga, palco das maiores variações diárias de temperatura.

A sonda completou sua missão principal em um ano. Nesse período, ela captou quase 100 mil imagens da superfície de Mercúrio, revelou altas concentrações de magnésio e cálcio no lado noturno do planeta, identificou um deslocamento significativo de seu norte magnético a partir de seu centro, encontrou grandes quantidades de água em sua exosfera e revelou evidências de atividade vulcânica na superfície.

Em novembro de 2011, a NASA anunciou que a Missão Messenger seria estendida por um ano, dando a chance para a sonda monitorar o máximo solar em 2012. A missão estendida durou de 18 de março de 2012 a 17 de março de 2013.

Em 20 de abril de 2012, com a ajuda de 3 disparos dos motores, o período orbital foi reduzido para oito horas, durante o qual, no início de maio de 2012, a Messenger tirou sua foto 100.000ª da órbita do planeta. Nessa altura, a sonda já havia obtido um mapa global do planeta, tanto em monocromático de alta resolução quanto em cores.

Foi durante a extensão da missão que a sonda encontrou evidências de gelo de água nos polos de Mercúrio, presentes em locais que nunca recebem luz do Sol, algo fruto de a inclinação do eixo rotacional do planeta ser quase nula.

E quando você achava que a Messenger já estava mirando sua aposentadoria, a missão ganhou uma segunda extensão, levando a espaçonave a trabalhar até março de 2015.

Durante sua segunda extensão, a Messenger fotografou 2 cometas, o cometa 2P/Encke e o cometa C/2012 S1, também conhecido pela alcunha de cometa ISON.

Então, em meados de 2014, os controladores da missão começaram a mover a Messenger gradualmente para uma órbita muito baixa para um novo programa

Fonte: NASA/Johns Hopkins University Applied Physics Laboratory/Carnegie Institution of Washington.

Mercúrio, fotografado pela sonda Messenger.

de pesquisa. Em setembro daquele ano, logo após seu aniversário de 10 anos de lançamento, a órbita da espaçonave caiu para menos de 25 quilômetros. Os controladores da missão implementaram pelo menos 2 manobras orbitais para elevar a órbita da espaçonave e continuar com aquela que seria a sua última missão estendida.

No dia de Natal de 2014, foi notado que os propulsores da espaçonave estavam perdendo força, e que uma queda da Messenger no planeta estava iminente. Em 21 de março de 2015, os controladores da missão realizaram uma última manobra para elevar a órbita da espaçonave, o suficiente para continuar suas atividades científicas.

Então, em 30 de abril de 2015, a Messenger atingiu a superfície de Mercúrio a uma velocidade de 14.780 km/h, criando uma cratera no planeta. Nada mal para uma missão que duraria apenas um ano.

Hoje, o que um dia foi a Messenger está sepultado no centro de uma cratera no planeta mais próximo de nossa estrela, uma assinatura da curiosidade humana em um dos lugares mais extremos do Sistema Solar.

Talvez uma das imagens mais icônicas da Missão Messenger seja o mosaico do Sistema Solar, obtido em 18 de fevereiro de 2011, com todos os planetas visíveis (todos não, Urano e Netuno acabaram "estragando" a imagem com suas ausências).

Eis o mosaico:

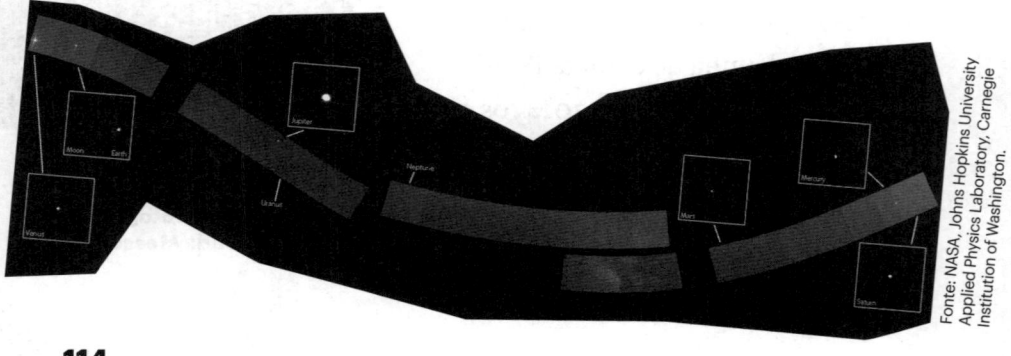

Fonte: NASA, Johns Hopkins University Applied Physics Laboratory, Carnegie Institution of Washington.

AINDA EM 2011, NO DIA 16 DE JULHO, A SONDA DAWN, DA NASA, TORNOU-SE A PRIMEIRA NAVE A ORBITAR UM ASTEROIDE. APÓS UMA VIAGEM DE QUATRO ANOS, A SONDA CHEGOU ATÉ VESTA, UM DOS MAIORES ASTEROIDES DO SISTEMA SOLAR, COM UM DIÂMETRO DE 530 KM.

FIM DO PROGRAMA DOS ÔNIBUS ESPACIAIS

Em 8 de julho de 2011, o ônibus espacial Atlantis era lançado ao espaço. Foi a última vez que um veículo como esse realizou uma missão. A Missão STS-135 e sua tripulação de 4 membros levaram suprimentos e equipamentos necessários à Estação Espacial Internacional. Este foi o 135º voo de um ônibus espacial e o 33º do Atlantis. Em 21 de julho, às 5h57, horário local, o Atlantis pousou no Centro Espacial John F. Kennedy, encerrando oficialmente o Programa dos Ônibus Espaciais, que durou trinta anos.

A frota de ônibus espaciais da NASA, Columbia, Challenger, Discovery, Atlantis e Endeavor, deixou um grande legado na exploração do espaço: ajudou a construir a Estação Espacial Internacional, a maior estrutura já construída no espaço; lançou o Telescópio Espacial Hubble, que permitiu que a humanidade tivesse uma visão sem precedentes do cosmos, reformulando todo o nosso entendimento da cosmologia. Como você leu aqui, em sua estreia, o Hubble produziu imagens borradas devido a uma falha no espelho, então astronautas foram enviados para encontrá-lo e repará-lo a bordo de um ônibus espacial. Ele lançou e recuperou satélites, realizou pesquisas de ponta e inspirou toda uma geração. É um consenso entre vários nomes relacionados ao segmento aeroespacial que os trinta anos do Programa dos Ônibus Espaciais influenciará significativamente as futuras gerações de naves espaciais.

Muitas pessoas, ao ouvirem falar dos ônibus espaciais, podem acabar se lembrando das duas grandes tragédias envolvendo o programa, tragédias essas que levaram à sua paralização até que as investigações das causas fossem apuradas, mas um fato é que ele teve 130 missões bem-sucedidas.

O ônibus espacial abriu caminho para que diferentes tipos de pessoas, de diferentes nações, pudessem contemplar o espaço, tornando-se seus primeiros representantes a viajar a bordo dessas espaçonaves. Foram pessoas do Canadá, México, Japão, Austrália, Arábia Saudita e Espanha. A primeira mulher americana a ir para o espaço fez isso a bordo de um ônibus espacial.

Os ônibus espaciais, hoje, estão em exposição em museus. Eles tiveram um papel tão importante quanto a Missão Apollo, o satélite Sputnik ou mesmo as Voyagers, auxiliando-nos enquanto dávamos nossos primeiros passos para fora de casa.

Ainda em 2011, no dia 16 de julho, a sonda Dawn, da NASA, tornou-se a primeira nave a orbitar um asteroide. Após uma viagem de quatro anos, a sonda chegou até Vesta, um dos maiores asteroides do Sistema Solar, com um diâmetro de 530 km. Ele possui mais ou menos o tamanho do estado de São Paulo e está localizado no cinturão de asteroides presente entre Marte e Júpiter. Dawn orbitou o asteroide Vesta por cerca de um ano, estudando e fotografando sua superfície rochosa. A sonda ainda estudou outro objeto, bem maior que Vesta, o planeta-anão Ceres, com seus 960 quilômetros de diâmetro. Além disso, ela enviou para a Terra incríveis imagens de Ceres, que revelaram uma superfície escura e cheia de crateras.

Ônibus espacial Endeavour retornando de sua última missão, em junho de 2011.

Fonte: NASA Image and Video Library.

CURIOSITY

E agora chegou a hora de falar de uma missão que ainda está rendendo muita ciência. Em 6 de agosto de 2012, o *rover* Curiosity, da NASA, pousou com sucesso em Marte. Ele é o maior e mais avançado veículo espacial que já pousou naquele planeta. Sua missão é investigar o clima e a geologia de Marte e, obviamente, procurar sinais de vida por lá. Ele é tão grande quanto um carro (se existisse algum marciano por lá, infartaria só de ver esse robô alienígena). Curiosity carrega consigo uma variedade de instrumentos avançados.

A NASA lista os objetivos do Curiosity desta forma:

- Determinar se já existiu vida em Marte;
- Caracterizar o clima em Marte;
- Caracterizar a geologia de Marte;
- E preparar terreno para a exploração humana.

Todos esses objetivos estão profundamente ligados. Por exemplo: entender o clima de Marte nos ajudará a determinar se os humanos podem explorar a superfície do planeta em segurança. O estudo da geologia marciana nos auxiliará a entender melhor se a região próxima ao local de pouso do Curiosity era habitável.

O pouso do Curiosity foi dramático. Lançado em 26 de agosto de 2011, depois de meses de viagem pelo espaço, era preciso descer em segurança no Planeta Vermelho. Uma ousada sequência de pouso que foi apelidada pela NASA de "Sete Minutos de Terror", pois, como eu falei, ele possuía o tamanho de um carro; imagine pousar esse trambolho a uma distância média de 75 milhões de quilômetros? É algo bem complicado, pode apostar!

Após uma entrada ardente pela atmosfera marciana, um paraquedas supersônico precisava ser acionado para diminuir a velocidade da espaçonave. Segundo os engenheiros da NASA, o paraquedas tinha de suportar 29.480 kg para que a sonda não se espatifasse na superfície.

Com os paraquedas abertos, o MSL (Mars Science Lab) soltou a parte interior de seu escudo térmico para que pudesse fixar seu radar na superfície e descobrir sua altitude. O paraquedas só conseguiu desacelerar o MSL para 322 km/h, uma velocidade muito alta para o pouso. A missão estava por um fio de fracassar.

Para resolver o problema, os engenheiros projetaram a montagem para cortar o paraquedas e usar foguetes para a parte final da sequência de aterrissagem (ou "amartissagem", se preferir).

A cerca de 18 metros acima da superfície, o *"skycrane"* do MSL foi acionado. A montagem do pouso balançou o veículo espacial abaixo dos foguetes usando uma corda de 6 metros. Caindo a 2,4 km/h, o MSL tocou o solo da Cratera Gale suavemente, no mesmo momento em que a nave cortou sua ligação e voou para longe, colidindo com a superfície. Ela já havia realizado sua missão: descer o Curiosity com segurança em Marte.

O pessoal da NASA assistiu atenciosamente à descida do Curiosity pela TV. Quando receberam a confirmação de que estava tudo bem, foi só comemoração. Na verdade, a notícia ganhou a mídia em geral. Estávamos, mais uma vez, em Marte, na missão mais audaciosa até então naquele planeta.

Curiosity nos forneceu informações valiosas sobre Marte. Uma de suas primeiras amostras obtidas por sua broca de perfuração incluía elementos de enxofre, nitrogênio, oxigênio, fósforo e carbono, todos considerados "blocos de construção" ou elementos fundamentais que poderiam sustentar a vida. Embora isso não seja uma evidência da própria vida, não deixa de ser uma descoberta empolgante. Os dados da sonda também possibilitaram que os cientistas identificassem um grande aumento dos níveis de metano em Marte, no final de 2013 e início de 2014. Essa era uma descoberta notável, pois poderia ser um indicador de vida microbiana, mas também poderia ser resultado de processos geológicos. Em 2016, no entanto, a equipe determinou que o pico de metano não era um evento sazonal. Existem mudanças menores no metano que podem estar ligadas às estações do ano.

Selfie tirada pelo Curiosity, em 11 de outubro de 2019, em comemoração ao 2.553º dia marciano da missão em Marte.

Fonte: NASA.

Curiosity também fez a primeira identificação definitiva de orgânicos em Marte, anunciada em dezembro de 2014. Os orgânicos são considerados blocos de construção da vida, mas não necessariamente apontam para a presença de vida, pois também podem ser oriundos de reações químicas.

Mas embora essas descobertas sejam inconclusivas para a existência de vida em Marte, elas mostram que o ambiente antigo do planeta oferecia um suprimento de moléculas orgânicas reduzidas para serem usadas como blocos de construção da vida e uma fonte de energia para ela.

Hoje o Curiosity não está mais funcionando sozinho em Marte. Ele é acompanhado por uma equipe robótica de ponta de outras naves espaciais originadas de vários países, muitas vezes trabalhando em colaboração para alcançar objetivos científicos.

O Mars Reconnaissance Orbiter, da NASA, fornece imagens de alta resolução da superfície. Outro orbitador chamado MAVEN, também da NASA, examina a atmosfera marciana em busca de perdas atmosféricas e outros fenômenos interessantes. E também temos as missões Mars Express, da Europa, o ExoMars e a Missão Orbital realizada pela Índia.

Mais adiante eu volto a falar das missões no Planeta Vermelho.

INDO AONDE NENHUM HOMEM JAMAIS ESTEVE

Em 25 de agosto de 2012, a Voyager 1 voou para além da heliosfera, uma barreira que marca a extremidade externa extrema da influência do Sol. Em outras palavras, entrou no espaço interestelar, tornando-se o primeiro objeto criado por humanos a explorar esse novo território. Naquele ano, a espaçonave estava a cerca de 20 bilhões de quilômetros de seu planeta de origem.

Existia muita expectativa por parte dos cientistas sobre quando a NASA faria o anúncio de que uma das espaçonaves Voyager cruzaria oficialmente a fronteira etérea que separa a nossa vizinhança cósmica do que está além dela.

A sonda detectou um grande aumento de partículas de raios cósmicos, oriundos desses espaços entre as estrelas, e, ao mesmo tempo, identificou uma queda na intensidade de partículas energéticas originárias de nossa estrela, o Sol, um indicativo de que a sonda estava cada vez menos sobre a influência da estrela.

Mas nem todo mundo concorda com a afirmação de que a Voyager 1 realmente saiu do Sistema Solar. Essa dúvida se dá porque, assim como um país em conflito, as fronteiras do Sistema Solar são controversas. Onde essa fronteira termina, bom, depende para quem você faz essa pergunta. Para alguns, os limites do Sistema

GAIA É UMA PARTE IMPORTANTE DE NOSSA BUSCA PARA CONHECER OS ARREDORES CÓSMICOS ONDE ESTAMOS SITUADOS E TAMBÉM SOBRE O NOSSO LUGAR NO UNIVERSO. É O CENSO DA VIA LÁCTEA E DO GRUPO LOCAL.

Solar se estendem por até 50 mil unidades astronômicas na Nuvem de Oort, o que seria muito além do que a nave Voyager 1 se encontra. Mas, por outro lado, a sonda já sofria certa influência de outras estrelas da Via Láctea.

Convenhamos, é legal para a NASA afirmar que uma nave construída por eles realizou tal feito, e uma coisa que a NASA sabe fazer muito bem é marketing. Essa discussão de a Voyager ter saído ou não do Sistema Solar ainda vai longe, mais longe até do que a própria nave.

MISSÃO GAIA

Lançado ao espaço em 2013, Gaia é um telescópio espacial da Agência Espacial Europeia, e sua missão é mapear as posições espaciais e cinemáticas de mais de 1 bilhão de estrelas com a maior precisão possível em comparação com qualquer missão anterior.

A ambiciosa missão do Gaia visa traçar um mapa 6D - posição no céu (2D), movimento no céu (2D), distância, grandeza mais importante de toda a Astronomia, (1D) e movimento radial (1D) - de nossa galáxia, a Via Láctea, e, nesse processo, ela acaba nos revelando a composição, formação e evolução da galáxia. O Gaia fornece medições de velocidade transversal (responsável pela mudança de posição do astro no céu) e radial (velocidade de aproximação ou afastamento) sem precedentes, com as precisões necessárias para produzir um censo, estereoscópico e cinemático, de cerca de 1 bilhão de estrelas em nossa galáxia e em todo o grupo local. Isso equivale a 1% da população estelar galáctica.

O professor Ramachrisna Teixeira do IAG/USP e membro ativo do Gaia Data Processing and Analysis Consortium, certa vez, durante uma conversa, explicou-me sobre a importância da pesquisa do Gaia usando uma analogia ótima, que descrevo a seguir.

Imagine que você está em um grande estádio, como o Maracanã, e ele está lotado com cerca de 100 mil torcedores. Então, você pega um celular e, do centro do campo, tira uma foto panorâmica da torcida, de modo que apareçam todos os torcedores na imagem. Seria uma bela fotografia, mas todos ali, naquela imagem, seriam anônimos, já que você não sabe o nome, de onde veio ou para onde cada uma daquelas 100 mil pessoas irá após o jogo. Você só tem uma foto.

O que o Gaia faz é criar uma imagem panorâmica de toda a galáxia, um mapa contendo mais de 1 bilhão de estrelas que são catalogadas e suas posições, rastreadas.

Em seu último lançamento de dados, em abril de 2018, vimos as posições de mais de 1,7 bilhão de estrelas, que foram lançadas em um mapa de cores 3D no ILA Berlin Air Show. Os dados não apenas traçam as posições das estrelas, mas também ajudam os astrônomos a entenderem a história e evolução delas.

O nome da missão era originalmente um acrônimo para Global Astrometric Interferometer for Astrophysics, mas a interferometria acabou não sendo o método pelo qual a missão realiza seu trabalho, segundo a ESA. Embora a sigla não seja mais aplicável, o nome Gaia permaneceu para dar continuidade ao projeto.

Nesta imagem do Gaia temos uma visão total da Via Láctea e das galáxias vizinhas, com base em medições de quase 1,3 bilhão de estrelas exibidas em uma projeção equiretangular. Ela foi obtida projetando a esfera celeste em um retângulo e é adequada para apresentações em domo completo. Em cada pixel dessa imagem tem milhares de estrelas observadas pelo satélite Gaia com o brilho resultante da soma dos fluxos.

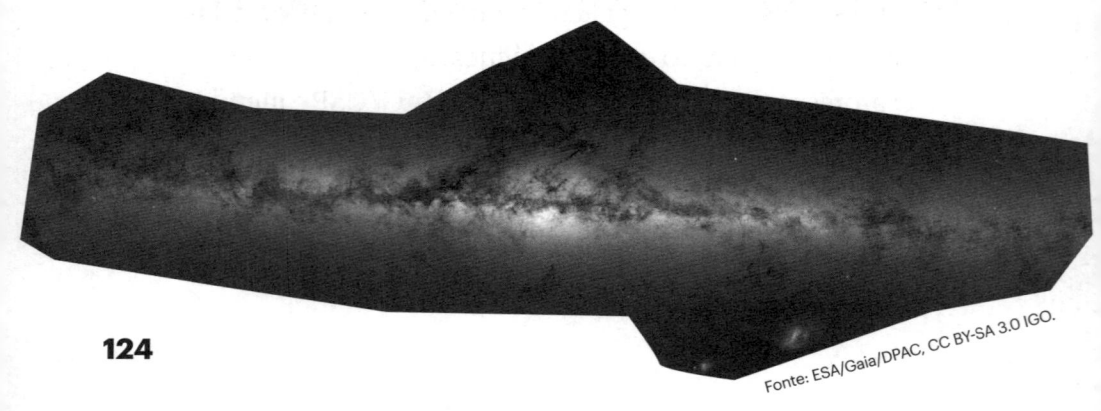

Fonte: ESA/Gaia/DPAC, CC BY-SA 3.0 IGO.

Gaia está localizado em um ponto de Lagrange gravitacionalmente estável no sistema Sol-Terra chamado L2 (que não tem nada a ver com o seu controle do PlayStation), a cerca de 1,5 milhão de quilômetros da Terra, na direção oposta ao Sol. As naves espaciais que estão ali podem usar uma quantidade mínima de combustível para se manter no mesmo local no espaço. Gaia também está longe o suficiente da Terra para que a luz que reflete e seu enorme tamanho não interfiram nas observações. Neste ponto (L2), os satélites não orbitam a Terra, mas sim o Sol juntamente com a Terra.

Os principais objetivos do Gaia são:

- **Saber mais sobre as origens da Via Láctea e sua evolução, especialmente criando um mapa 6D de mais de 1 bilhão de estrelas;**
- **Detectar planetas do tamanho de Júpiter através da observação dos movimentos de estrelas – estrelas que podem ser afetadas pelo puxão gravitacional de um planeta em órbita – para dentro de 150 anos-luz;**
- **Detectar anãs marrons ou as chamadas "estrelas frustradas", que não eram grandes o suficiente para iniciar o processo de fusão nuclear;**
- **Procurar por asteroides em todo o Sistema Solar, desde aqueles que estão próximos à Terra quanto aqueles que se encontram no cinturão de asteroides existente entre Marte e Júpiter, até mesmo na região gelada de objetos que estão além de Netuno, o Cinturão de Kuiper;**
- **Procurar por estrelas explosivas (supernovas) antes que elas atinjam seu brilho máximo;**
- **Testar a Teoria da Relatividade Geral de Albert Einstein: por exemplo, observando como a gravidade dos objetos massivos distorce a luz.**

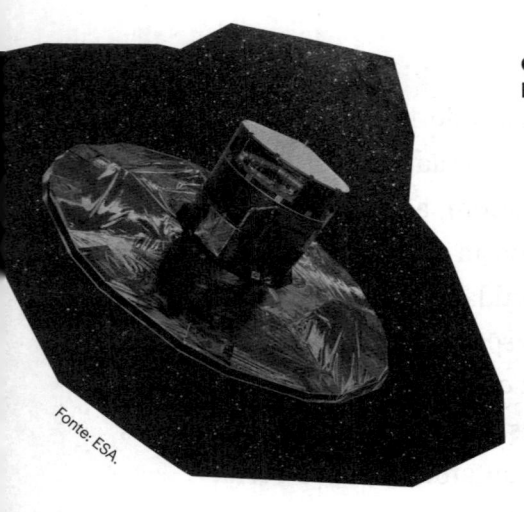

O Telescópio Espacial Gaia.

Fonte: ESA.

Gaia pode até ajudar a investigar a existência de buracos negros e procurar evidências da misteriosa matéria escura. Em 2017, Gaia rastreou meia dúzia de estrelas de hipervelocidade, cujos movimentos podem ser afetados por essa substância que não sabemos do que é composta, mas que é dona da maior parte da massa presente no Universo.

Gaia é uma parte importante de nossa busca para conhecer os arredores cósmicos onde estamos situados e também sobre o nosso lugar no Universo. É o censo da Via Láctea e do Grupo Local.

Os resultados Gaia superaram as expectativas de tal forma que a missão foi estendida por mais dois anos, portanto, em vez de cinco, como inicialmente previsto, agora serão sete anos de observações com perspectivas de ganhar, ainda, mais três anos. Com isso, a quantidade de estrelas a serem observadas saltou de 1 para 2 bilhões.

Para daqui quinze anos, uma das ideias mais fortes é ter um Gaia 2 observando no infravermelho próximo. Nesse contexto, seria possível observar as regiões escuras da galáxia (plano galáctico, por exemplo) e observar em torno de 10 bilhões de objetos, portanto 5 vezes mais do que conseguimos atualmente. Supondo precisões comparáveis, essas futuras observações dos objetos Gaia de agora, significariam um salto tão grande na qualidade com que medimos seus movimentos que nos permitiria sonhar com a possibilidade de detecção de ondas gravitacionais através de padrões de pequeninas perturbações nesses movimentos.

SE UM LINK
AO VIVO NA TV
MUITAS VEZES
APRESENTA DELAY,
IMAGINA SE
COMUNICAR COM
UM EQUIPAMENTO
QUE ESTÁ
A BILHÕES DE
QUILÔMETROS?

UM NOVO HORIZONTE

Em 14 de julho de 2015, a nave espacial New Horizons, da NASA, tornou-se a primeira espaçonave a visitar o planeta-anão Plutão. A missão tem revolucionado nosso entendimento sobre os objetos presentes no Sistema Solar que orbitam a uma grande distância do Sol. Na corrida de "quem está mais longe", a New Horizons chega em 5º lugar, ficando atrás das Pioneers 10 e 11, e das Voyagers 1 e 2. As naves espaciais geralmente têm uma vida útil estabelecida, semelhante a garantias presentes em eletrônicos que você compra, de celulares a carros. O ambiente espacial é muito agressivo, por lá temos partículas solares, raios cósmicos e outros fenômenos que podem deteriorar a superfície da espaçonave ou mesmo comprometer a eficiência de seu funcionamento, o que é um desafio para missões longas como a da New Horizons (foram quase dez anos só para chegar até seu destino). Isso acaba exigindo um sistema eficiente de backup e uma fonte de energia (neste caso, nuclear) para alimentar a nave que está cada vez mais longe do Sol. Lançada em 18 de janeiro de 2006, o primeiro destino da New Horizons foi o planeta Júpiter. A nave visitou o gigante gasoso em março de 2017. New Horizons passou a menos de 2,4 milhões de quilômetros do planeta, o que na época a fez ser a primeira sonda a visitar o sistema de Júpiter desde a sonda Galileu, que finalizou sua missão em 2003 (futuramente Júpiter será visitado mais uma vez, falarei disso mais adiante).

E como já estava ali, por que não tirar umas fotos? A New Horizons fotografou Io, a lua dona de uma grande atividade vulcânica no sistema de Júpiter. A sonda conseguiu tirar as fotos mais nítidas até então do vulcão Tvashtar, e a imagem mostrava uma precipitação vulcânica maior que o estado americano do Texas.

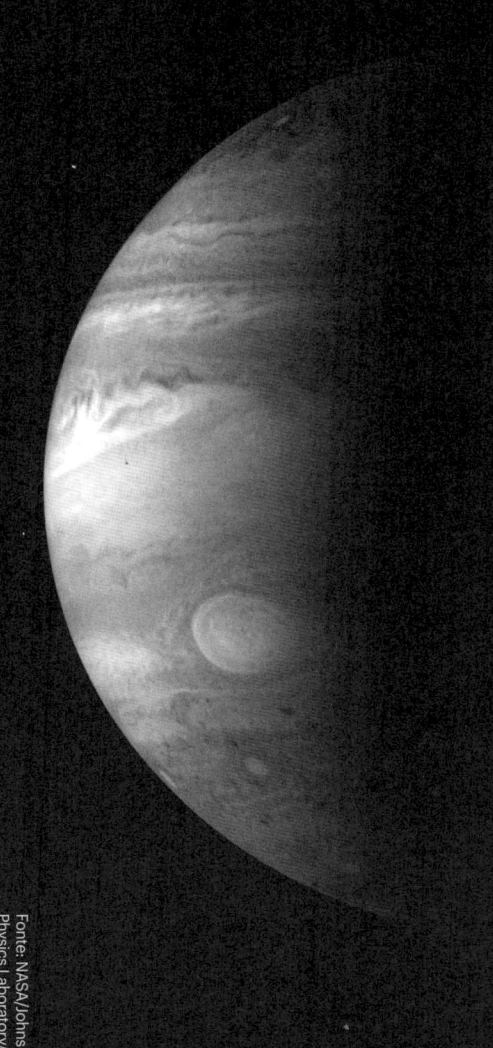

Montagem unindo duas imagens obtidas em 2007 pela sonda New Horizons, mostrando Júpiter e sua lua vulcânica Io.

Fonte: NASA/Johns Hopkins University Applied Physics Laboratory/Southwest Research Institute/Goddard Space Flight Center.

DESTINO: PLUTÃO

Júpiter é um sistema incrível, disso não há dúvidas, mas o objetivo principal da New Horizons estava além dele, a uma distância de cerca de 5 bilhões de quilômetros da Terra: o ex-planeta, e agora planeta-anão, Plutão (em 2006, após a descoberta de vários objetos de tamanhos semelhantes a Plutão no Cinturão de Kuiper, a União Astronômica Internacional resolveu mudar a definição do que é um planeta, e, com isso, o status de Plutão foi alterado para planeta-anão).

Em julho de 2015, mês previsto para o tão esperado encontro da sonda com seu destino principal, a nave se manteve em silêncio, pois estava bem ocupada coletando dados, algo que foi planejado. A sonda não se comunicaria com a Terra quando estivesse realizando sua maior aproximação com este distante objeto e a sua maior lua, Caronte.

Para chegar a um objeto tão distante, os engenheiros da missão tiveram que bolar alternativas para uma sonda que não poderia depender de energia solar para se abastecer, sem contar que a comunicação com a nave tinha muito atraso. Se um link ao vivo na TV muitas vezes apresenta *delay*, imagina se comunicar com um equipamento que está a bilhões de quilômetros? Quando a New Horizons chegou ao sistema de Plutão, foram necessárias quatro horas e meia para que uma mensagem de mão única chegasse à Terra.

Mas, após o silêncio programado, a New Horizons finalmente telefonou para seu planeta de origem. Todos os esforços haviam valido a pena, e os controladores comemoraram. Havíamos chegado a Plutão!

As primeiras imagens obtidas pela News Horizons mostravam a superfície do planeta-anão, que, para a surpresa dos cientistas, aparentava ser relativamente jovem. Ele ostentava uma cordilheira de 3.500 metros de altura e acredita-se que ela tenha cerca de 100 milhões de anos, no máximo. Esse intervalo mostra uma atividade geológica recente na superfície, mas ainda não temos dados suficientes para dizer o que pode ter causado.

Outra descoberta da missão que merece destaque inclui evidências de um oceano subterrâneo antigo em Caronte, e também estranhas colinas de gelo de água flutuando em nitrogênio congelado em Plutão. As descobertas acabaram fortalecendo argumentos de que Plutão poderia ter ingredientes para a vida surgir em sua superfície, mesmo o planeta-anão estando a uma grande distância do Sol.

Com tantas descobertas apontando para a complexidade e semelhança com a Terra, um grupo de cientistas planetários enviou uma proposta para reclassificar Plutão como planeta. A proposta redefiniu os critérios para que um objeto seja considerado planeta; segundo o grupo, planeta seria um objeto esférico que nunca experimentou fusão nuclear (como ocorre com as estrelas). A definição deve abranger não apenas os planetas-anões, mas também as luas. Mas, apesar do apelo, até o momento em que escrevo este livro, Plutão ainda é um planeta-anão.

Fonte: NASA-JHUAPL-SWRI.

Plutão fotografado pela New Horizons.

ALÉM DE PLUTÃO

Em 2016, a NASA aprovou uma extensão para a Missão New Horizons. O próximo alvo era o 2014 MU69, ou Ultima Thule (nome provisório), um objeto presente no Cinturão de Kuiper. Em 12 de novembro de 2019, a NASA decidiu que o nome definitivo seria Arrokoth.

Em setembro de 2017, a New Horizons havia concluído um período planejado de hibernação que durou cinco meses; ela estava reservando energia para a sua nova missão. No final de 2017, a sonda conseguiu tirar várias fotos de objetos presentes no Cinturão de Kuiper, como o 2012 HZ84 e o 2012 HE85.

Naquele momento, a sonda se encontrava a cerca de 6,12 bilhões de quilômetros da Terra e as fotos capturadas por ela nesta localização se tornaram as mais distantes já capturadas por uma sonda que partiu de nosso planeta. O recorde anterior era defendido pela espaçonave Voyager 1, que tirou a famosa foto da Terra, o "Pálido Ponto Azul", em 14 de fevereiro de 1990 a cerca de 6 bilhões de quilômetros.

A New Horizons voou pelo MU69 em 1º de janeiro de 2019. O pequeno objeto está tão distante de nós que a NASA só ficou sabendo do sobrevoo dez horas depois de ele ter acontecido. Em sua maior aproximação, a New Horizons deu uma boa olhada no MU69, chegando a uma distância de cerca de 3.540 quilômetros. Foi o mais perto que a espaçonave se aproximou de Plutão.

E você quer saber como é esse mundo distante, né?

As primeiras fotos do MU69 mostraram que ele é composto por 2 lóbulos, cada um deles quase esférico. A NASA, muito criativa e marota, apelidou o lóbulo maior de Ultima e o menor de Thule.

A cor deles é um tanto avermelhada. Na verdade, esses eram 2 objetos separados que ao longo do tempo foram unidos pela gravidade mútua. Bem romântico.

Ultima Thule fotografado pela New Horizons em 1º de janeiro de 2019.

Fonte: NASA/Johns Hopkins University Applied Physics Laboratory/Southwest Research Institute/National Optical Astronomy Observatory.

A New Horizons está tão longe do Cinturão de Kuiper que, quando a sonda envia dados para a Terra, demora um bocado para chegar (trabalhar como engenheiro de uma missão como essa deve ser péssimo para quem sofre de ansiedade). Os pesquisadores relataram que levará vinte meses para que todos os dados referentes ao MU69 retornem para a Terra, ou seja, até 2020 novas informações sobre o objeto podem estar chegando.

JUNO CHEGA A JÚPITER

Em 4 de julho de 2016, a sonda Juno, da NASA, começou a orbitar o maior planeta do Sistema Solar, Júpiter. A sonda demorou quase cinco anos até chegar a seu destino.

Na mitologia grega e romana, o deus Júpiter desenhou um véu de nuvens ao seu redor para esconder sua maldade. Sua esposa, a deusa Juno, foi capaz de espiar através das nuvens e revelar a verdadeira natureza dele. Não foi à toa o nome da deusa ter sido escolhido para a missão: a sonda Juno também irá investigar embaixo das nuvens para entender o que se passa por lá, mas não procurando sinais de maldade, e sim para nos ajudar a entender a estrutura e a história do planeta.

Foi no dia 4 de julho de 2016 que a sonda disparou seu motor principal em um processo de desaceleração que durou 35 minutos, possibilitando que a espaçonave fosse capturada pela gravidade do planeta, fazendo-a orbitar em torno de si.

"Bem-vindo à Júpiter."

Foi o que disse um comentarista da missão após a manobra, acompanhado de gritos de alegria, cumprimentos e abraços no Laboratório de Propulsão a Jato (JPL) da NASA.

JÚPITER FICA EM MÉDIA 5 VEZES MAIS DISTANTE DO SOL DO QUE A TERRA, E ISSO RESULTA EM UMA CAPTAÇÃO 25 VEZES MENOR DE ENERGIA SOLAR DO QUE A JUNO PODERIA RECEBER ESTANDO EM SEU PLANETA NATAL.

Tem que comemorar mesmo, pois conseguir enviar e controlar uma espaçonave a quase 1 bilhão de quilômetros da Terra não é uma tarefa fácil.

Juno foi lançada em agosto de 2011 e seguiu por um caminho tortuoso pelo Sistema Solar, retornando para fazer um sobrevoo pela Terra em 2013.

Juno se tornou a espaçonave movida a energia solar mais distante da História, ultrapassando o recorde de 792 milhões de quilômetros do Sol mantido pela Missão Rosetta, da Agência Espacial Europeia.

Júpiter fica em média 5 vezes mais distante do Sol do que a Terra, e isso resulta em uma captação 25 vezes menor de energia solar do que a Juno poderia receber estando em seu planeta natal. Então, para aproveitar com mais eficiência essa fonte de energia escassa, a espaçonave ostenta um total de 18.698 células solares individuais, espalhadas por 3 painéis de 9 metros. Com todos esses painéis estendidos, a sonda Juno possui o tamanho de uma quadra de basquete.

A missão da sonda, além de nos mandar imagens incríveis do planeta, é estudar detalhadamente os campos magnéticos e gravitacionais de Júpiter, medir a quantidade de água existente na atmosfera e determinar de uma vez por todas se existe um núcleo feito de elementos mais "pesados" (algo mais pesado que hidrogênio e hélio) abaixo de todas aquelas nuvens agitadas.

Com essas informações poderemos entender melhor a origem de Júpiter e, de quebra, saber um pouco sobre o início do Sistema Solar e a formação dos planetas, pois Júpiter é o planeta mais antigo do sistema. Ele chegou aqui quando "tudo ainda era mato", por assim dizer.

Entre as descobertas feitas até o momento, destacam-se a mecânica daquelas icônicas linhas equatoriais do planeta, que são fruto dos ventos absurdamente fortes que se estendem por mais de 3 mil quilômetros abaixo do topo das nuvens de Júpiter.

E, aparentemente, o gigante gasoso possui sim um núcleo, que não é exatamente sólido, já que 96% do interior do planeta é composto por uma mistura bem densa dos gases hidrogênio e hélio.

Lá no fundo da atmosfera de Júpiter há tanta pressão que acaba espremendo o gás hidrogênio em um fluido conhecido como hidrogênio metálico. Nessas grandes profundidades, o hidrogênio atua como um metal eletricamente condutor, o que se acredita ser a fonte do intenso campo magnético do planeta. Esse poderoso ambiente magnético acaba por criar as auroras mais brilhantes do Sistema Solar à medida que as partículas carregadas se precipitam na atmosfera de Júpiter, as quais a Juno conseguiu observar.

A sonda terminaria seus trabalhos em meados de 2018, mas a missão foi estendida até julho de 2021. A sonda esta com órbitas de 53 dias, em vez dos 14 dias do plano original. Isso se deu por causa de uma preocupação com as válvulas em seu sistema de combustível. Mas com essa órbita mais longa, a espaçonave terá mais tempo para coletar dados científicos e completar sua missão.

Fonte: NASA/JPL-Caltech/SwRI/MSSS/Kevin M. Gill.

Foto do tempestuoso hemisfério norte de Júpiter, capturada pela sonda Juno, da NASA.

RODAS? NO ESPAÇO VOCÊ NÃO IRÁ PRECISAR DE RODAS

Em 6 de fevereiro de 2018, um superfoguete, o Falcon Heavy, partiu do Centro Espacial John F. Kennedy às 15h45 carregando uma carga um tanto incomum: um Roadster vermelho da empresa Tesla, com um manequim vestido com um traje espacial a bordo apelidado de Starman.

A estrela do lançamento deveria ser o Falcon Heavy, atualmente o foguete mais poderoso em uso. Ele foi projetado para elevar o peso equivalente a 5 ônibus londrinos de 2 andares, ou seja, pode levar até 64 toneladas em direção ao espaço.

A expectativa era que, com o sucesso do lançamento (algo que a essa altura você já sabe que foi), ele abriria uma enorme gama de possibilidades inovadoras, como levar satélites maiores ao espaço e realizar o sonho de Elon Musk, o homem por trás da SpaceX, de lançar centenas de satélites ao espaço, em um ambicioso objetivo de dar acesso à internet de banda larga aos países em desenvolvimento.

O sucesso do Falcon Heavy também significou uma aprimoração da exploração espacial. Com ele, poderemos enviar robôs maiores para Marte. Poderíamos visitar os planetas exteriores como Júpiter, Saturno e suas luas.

Mas o que acabou ganhando a imprensa foi o carro vermelho ser libertado no espaço ao som de "Space Oddity", de David Bowie, durante a transmissão. E foi uma sacada e tanto. Concordo que foi puro marketing, mas, convenhamos, fazia tempos que eu não via tantas pessoas curiosas com um lançamento de foguete. Lembro-me de ouvir os comentários sobre o assunto no metrô, nas ruas, foi um evento e tanto.

O carro seguiu em direção ao cinturão de asteroides. Antes do lançamento acreditava-se que ele ficaria em uma órbita elíptica entre a Terra e Marte, mas o automóvel passou por Marte e seguiu em direção ao cinturão. Se não colidir com nada pelo seu caminho, poderá passar por milhões ou mesmo bilhões de anos levando o Starman para um passeio pelo Sistema Solar interno.

E, de modo semelhante à sonda Voyager, o carro leva algumas coisinhas de nossa cultura, como uma edição do livro *O guia do mochileiro das galáxias*, de Douglas Adams, no porta-luvas; um dispositivo de armazenamento a laser projetado para durar no espaço transportando a série de ficção científica *A fundação*, de Isaac Asimov; e o nome de mais de 6 mil pessoas que possibilitaram que esse carro fosse lançado ao espaço, entre outras coisas.

Mas, para este que vos escreve, o que mais emocionou durante o lançamento foi ver os 2 dos 3 estágios (ou impulsionadores) retornarem à Terra e pousarem na posição vertical ao mesmo tempo, na Estação da Força Aérea de Cabo Canaveral. Isso foi um espetáculo da engenharia, e possibilita que eles sejam reutilizados, trazendo uma economia enorme para os lançamentos deste tipo de foguete.

▶ Eu já disse várias vezes que estamos vivendo a melhor época para quem ama assuntos ligados ao espaço. Hoje temos várias iniciativas, privadas ou não, que almejam alcançar as estrelas. Conseguimos ver as primeiras galáxias que surgiram no Universo e fomos capazes de montar a primeira imagem do horizonte de eventos de um buraco negro, o M87.

E não é só a nossa visão que está mais apurada, estamos começando a "ouvir" o Universo. Ondas gravitacionais, previstas por Albert Einstein, em 1916, foram detectadas em 2016, cem anos após terem sido sugeridas. Einstein propôs que o Universo estaria repleto dessas ondas, mas que seriam muito fracas para detectar; somente objetos com muita massa, como buracos negros colidindo, deixariam ondas gravitacionais fortes o bastante para serem detectadas da Terra.

E foi justamente a colisão de 2 buracos negros que distorceu o espaço-tempo em ondas gravitacionais que foram captadas pelo Projeto LIGO. A Relatividade Geral havia sido confirmada mais uma vez.

Empresas e agências estão trabalhando em maneiras de diminuir o tempo das viagens espaciais, visando mandar sondas para cada vez mais longe, rumo à vastidão do espaço profundo. Uma das soluções propostas para contornar esse problema é a ambiciosa ideia de um motor com propulsão a laser impulsionando velas enormes que poderiam nos levar até Marte em poucos dias.

Tendo em vista que estamos vendo e indo cada vez mais longe no cosmos, onde será que estaremos nos próximos dez, cinquenta, cem anos? O que será que os nossos olhos ainda vão contemplar em relação ao espaço? Acompanhe-me, pois a viagem ainda não terminou.

DÉCADA DE 2020 DE VOLTA PARA A LUA

O TELESCÓPIO ESPACIAL HUBBLE NOS MOSTROU IMAgens do céu nunca vistas antes e nos proporcionou meios de entender um pouco mais sobre a evolução do Universo, mas ele é um equipamento que já está sofrendo com a idade, e, sem a possibilidade de manutenção (trabalho que era feito com o auxílio de ônibus espaciais), em breve será mais um que terá que se aposentar.

Mas, se tudo der certo, em 2021 a NASA irá lançar ao espaço o seu sucessor, o Telescópio Espacial James Webb, maior, mais potente e muito caro; até o momento em que escrevo, ele já consumiu 9,7 bilhões de dólares.

O James Webb irá investigar o cosmos para descobrir a história do Universo, do Big Bang à formação de exoplanetas e além. Ele se concentrará em 4 áreas principais: primeira luz do Universo, surgimento de galáxias no Universo primitivo, nascimento de estrelas e sistemas protoplanetários e planetas (incluindo a origem da vida).

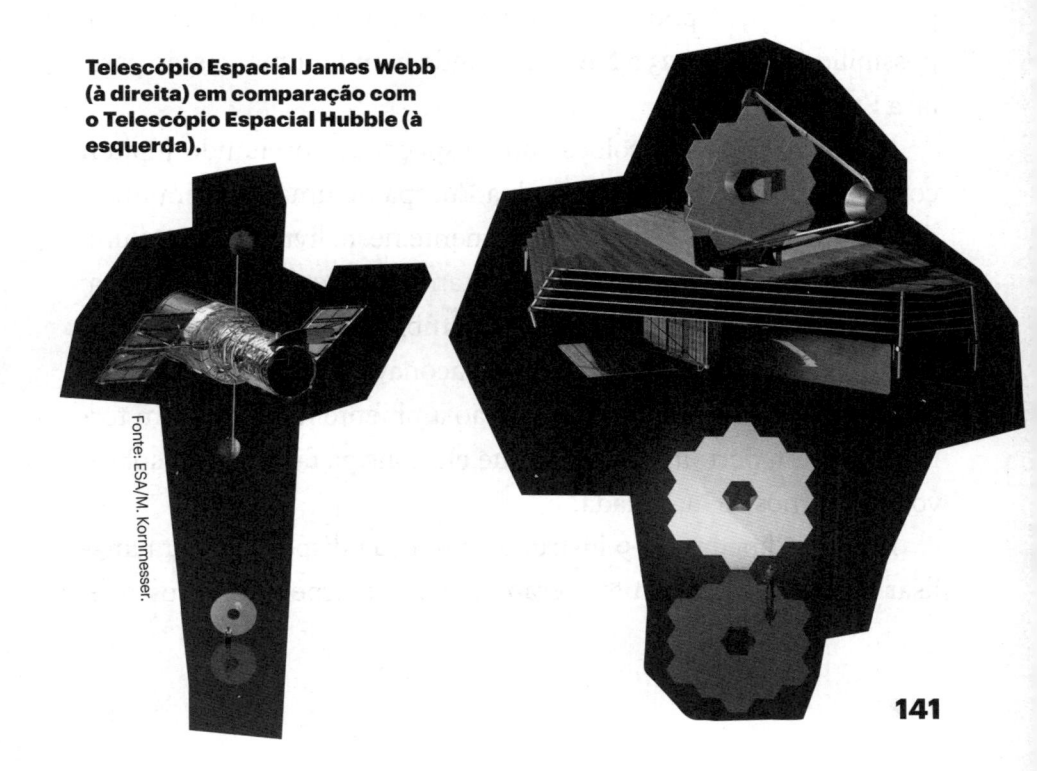

Telescópio Espacial James Webb (à direita) em comparação com o Telescópio Espacial Hubble (à esquerda).

Fonte: ESA/M. Kornmesser.

O telescópio será lançado de um foguete Ariane 5 da Guiana Francesa e levará trinta dias para voar 1,6 milhão de quilômetros para seu destino final, o ponto de Lagrange, lembra? Aquele local gravitacionalmente estável no espaço. Ele irá orbitar em torno de L2, um ponto no espaço próximo à Terra que fica oposto ao Sol. Aliás, esse tem sido um destino comum para vários telescópios espaciais, como o Telescópio Espacial Herschel e o Observatório Espacial Planck.

São esperadas fotos incríveis provenientes do James Webb, e, apesar de estar velho, Hubble ainda mantém um bom funcionamento, portanto, em um primeiro momento, teremos os 2 telescópios trabalhando juntos.

EUROPA

A lua Europa, de Júpiter, é um lugar muito interessante. Ela possui propriedades que podem ser favoráveis à vida. Pensando nessa possibilidade, em 2023 a NASA pretende mandar uma missão para lá, a Europa Clipper.

A missão pretende colocar uma espaçonave orbitando Júpiter, com o intuito de investigar sua lua Europa de uma maneira mais detalhada. Como você leu anteriormente neste livro, Europa é um mundo onde várias evidências apontam para a existência de água líquida sob sua crosta de gelo, e esse ambiente pode ser hospitaleiro. A NASA pretende enviar uma espaçonave que resista de forma eficiente a longas órbitas em meio ao ambiente radioativo em torno de Júpiter, permitindo assim que ela consiga fazer vários sobrevoos próximos da lua gelada.

Europa Clipper terá 9 instrumentos à sua disposição para analisar esse mundo distante. Serão câmeras e espectrômetros que enviarão imagens em alta resolução da superfície de Europa e determinarão sua composição e um radar de penetração no gelo, que precisará a espessura da concha gelada da lua e buscará por lagos subterrâneos semelhantes aos da camada de gelo da Antártica.

A missão também levará um magnetômetro para medir a força e a direção do campo magnético da lua, o que possibilitará descobrir a profundidade e a salinidade do oceano. As medidas de gravidade também ajudarão a confirmar a existência do oceano subterrâneo em Europa.

Eu sei que, muito provavelmente, você deve estar pensando: "Poxa vida, mas seria legal mandar um humano para lá!". Sim, eu concordo, mas antes disso temos que lidar com diversos problemas de uma viagem espacial tão longa. Uma viagem até lá duraria alguns anos com a tecnologia atual, e isso nos deixaria mais expostos à radiação do espaço. Até que se resolvam esses problemas, iremos explorar Europa apenas com o robô mesmo, mas, veja bem, esses robôs são tão equipados que são quase como um biólogo ou um geofísico trabalhando em solo alienígena, e, o mais importante, sem arriscar a vida de ninguém.

RETORNO À LUA

Muito se tem falado sobre Marte nos últimos anos. Durante a gestão do presidente americano Barack Obama, cogitou-se a possibilidade de mandar humanos para o Planeta Vermelho. Elon Musk e sua SpaceX chegaram a fazer um anúncio ambicioso sobre colocar humanos em Marte, mas diferentemente do que aconteceu com a Missão Apollo, que nos colocou na Lua, não havia um cronograma bem estabelecido para uma missão tão audaciosa. E havia o problema do transporte: ainda não tínhamos uma nave que atendesse às exi-

A LUA É UM ÓTIMO LUGAR PARA TESTAR NOSSAS TECNOLOGIAS DE VIAGEM ESPACIAL PARA, ENTÃO, TENTAR REALIZAR VOOS MAIS AMBICIOSOS NO ESPAÇO PROFUNDO.

gências de uma missão como essa. Atualmente levaríamos muitos meses para chegar a Marte, além do problema do isolamento total com que os astronautas teriam que lidar. Seria necessário resolver questões importantes, como trazer os astronautas em segurança de volta para a Terra, e, como já citei, evitar a radiação proveniente do espaço, algo que não faria nada bem para a saúde das pessoas que arriscariam suas vidas para atravessar milhões de quilômetros no espaço para pisar em solo marciano.

Então, os anos foram passando e Marte se tornou um objetivo mais para o futuro, e voltamos nossos olhos para uma velha conhecida, a Lua.

A Lua é um ótimo lugar para testar nossas tecnologias de viagem espacial para, então, tentar realizar voos mais ambiciosos no espaço profundo.

A NASA se comprometeu a enviar astronautas, incluindo a primeira mulher e o próximo homem, à Lua até 2024. Por meio do programa de exploração lunar nomeado como Ártemis, a agência irá usar novas tecnologias e sistemas inovadores para explorar o nosso satélite natural. A ideia é, juntamente com seus parceiros comerciais e internacionais, estabelecer missões sustentáveis por lá até 2028, e usar a experiência nessa retomada à Lua para, então, mirar em Marte.

No momento em que escrevo, o foguete que irá levar a Missão Ártemis ainda não foi finalizado: o Space Launch System (SLS). A nave será a Orion, que irá se atracar a Gateway, uma futura estação espacial, e lá os astronautas viverão e irão trabalhar em torno da Lua. A tripulação irá fazer expedições até a superfície lunar, retornar a Gateway e fazer a viagem de volta à Terra.

Certa vez eu me vi obrigado a fazer um vídeo no canal para explicar o porquê de nunca mais termos retornado para o nosso satélite natural. Um dos motivos que dei na época era porque não se tinha muita coisa para fazer na Lua, e ninguém iria querer colocar a vida de pessoas em perigo para ir lá pegar um pouco de rochas e trazer para a Terra.

Mas algumas coisas mudaram de lá para cá: descobrimos que existe água na Lua.

Uma das missões visa desembarcar no polo sul lunar, local onde sabemos que existe água. Chegando lá a NASA pretende:

- **Encontrar e usar água e outros recursos críticos necessários para uma exploração de longo prazo;**
- **Investigar os mistérios da Lua e aprender mais sobre o nosso planeta natal e o Universo;**
- **Aprender a viver e operar na superfície de outro corpo celeste, onde os astronautas se encontram a apenas três dias de seu planeta natal;**
- **Colocar à prova tecnologias que serão necessárias antes de enviar astronautas para Marte, o que pode levar até três anos, somando ida e volta.**

A NASA pegou o nome Ártemis da mitologia grega. Ártemis era a irmã gêmea de Apolo e deusa da Lua. Segundo a agência, o nome personifica a nova missão, que, além de retornar para um lugar explorado pelas Missões Apollo, colocará a primeira mulher em superfície lunar.

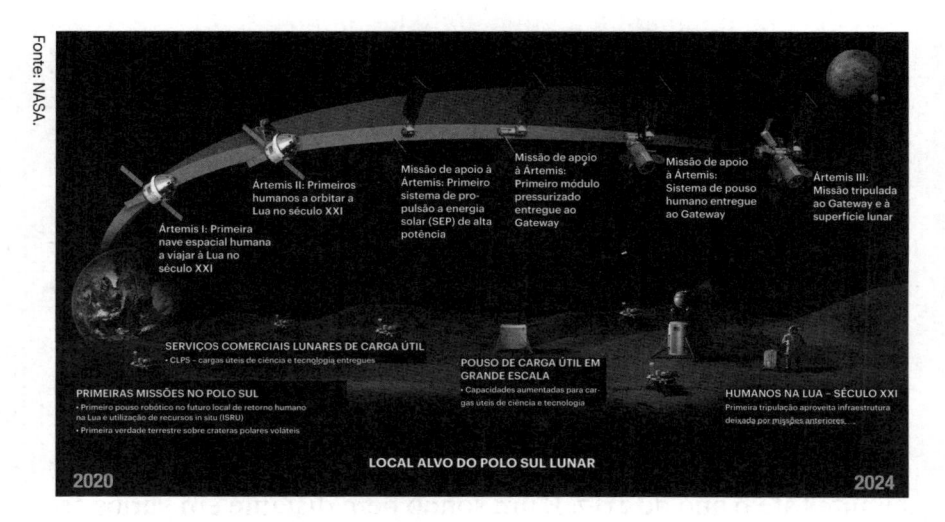

A linha do tempo da Missão Ártemis.

Olha, se vamos conseguir pisar na Lua novamente até o ano de 2024, eu não sei; no momento em que escrevo estas linhas, o foguete nem está pronto. É esperar para ver. Este livro será interessante no futuro, listando as coisas que aconteceram e que não aconteceram.

Obviamente eu torço para que tudo dê certo.

E A SPACEX?

Que Elon Musk tem planos ambiciosos em relação ao espaço já está bem claro até aqui, mas até onde sua empresa, a SpaceX, quer chegar?

Musk traçou um grande plano para tirar a humanidade dos limites de seu planeta natal. Atualmente, o foco é a Lua, mas Marte sempre foi seu destino preferido, e, conquistando Marte, por que não ir mais longe ainda no Sistema Solar?

Musk estimou que teremos humanos estabelecidos no Planeta Vermelho já em 2025. Será exagero? Vamos ver quais são os planos da SpaceX para os próximos anos.

O CEO da SpaceX liderou o desenvolvimento do StarShip. O foguete está sendo projetado para reabastecer e reiniciar usando hidrogênio líquido e metano, ao contrário do propulsor de foguete usado em seu foguete Falcon 9 e no Falcon Heavy. Isso significa que os astronautas serão capazes de montar depósitos de reabastecimento ao redor do Sistema Solar, pulando de planeta em planeta. O StarShip ainda se encontra em desenvolvimento, mas seu primeiro voo comercial está previsto para 2021.

Não é só a SpaceX que sonha com Marte. O Emirados Árabes Unidos, por exemplo, pensam em uma cidade com até 600 mil habitantes até o ano de 2117. É um sonho bem distante em vários aspectos, mas a SpaceX é a empresa que talvez tenha os planos mais sólidos para uma investida como essa.

Em 2019, a SpaceX realizou os primeiros "testes de salto" para a sua nave estelar com destino a Marte. A ideia era verificar se o foguete poderia se lançar a algumas centenas de quilômetros.

Apesar dos incêndios e explosões, Hans Koenigsmann, vice-presidente encarregado de construção e confiabilidade de voo na SpaceX, pretende passar o StarShip por testes de reforço e voos de alta altitude e velocidade ainda em 2020. A ideia é fazer vários voos testes antes de colocar alguém a bordo, o que eu acho de extremo bom senso. Então, em 2021 a nave estaria pronta para partir para seu primeiro voo comercial. Jonathan Hofeller, vice-presidente de vendas comerciais da SpaceX, revelou durante uma conferência na Indonésia que o plano é sediar o primeiro voo nessa época.

Esse primeiro voo seria para enviar ao espaço um satélite comercial de comunicações, um tipo de trabalho que era comumente realizado por ônibus espaciais. Se tudo der certo, será provada a eficiência do StarShip e isso ajudará a financiar seu desenvolvimento.

ASSIM COMO A NASA, A SPACEX TAMBÉM PASSOU A OLHAR PARA A LUA.

O ano de 2022 poderia entrar para a História como a data em que a SpaceX chegará a Marte. Em setembro de 2017, durante o Congresso Astronáutico Internacional de Adelaide, na Austrália, Elon Musk sugeriu que 2022 seria o ano em que espaçonaves tripuladas chegariam até Marte. Nesse ano, Marte e Terra estarão relativamente próximos, fenômeno que ocorre a cada dois anos, e seria o momento ideal para uma viagem até lá. Mas, na época, seu anúncio gerou certa desconfiança: cinco anos não parecia tempo suficiente para construir uma nave de grande porte que levaria 100 toneladas de suprimentos até Marte. Foi então que a SpaceX deu uma mexida nos planos.

Assim como a NASA, a SpaceX também passou a olhar para a Lua.

Em 2023, a SpaceX deverá mandar o bilionário japonês Yusaku Maezawa (ei, você que está aí no futuro lendo este livro, bom, você deve saber se a empreitada deu certo ou não; que inveja tenho de você) juntamente com 6 ou 8 artistas, para uma viagem até a Lua, ou melhor, em torno da Lua. Seu sucesso seria crucial para o avanço da estratégia de uma missão tripulada no futuro.

Em 2024, a Terra e Marte estarão mais próximos novamente (lembra que eu falei que o fenômeno se dá a cada dois anos?). É bem provável que a SpaceX não tenha conseguido enviar uma missão em 2022, como previsto anteriormente, então 2024 seria o ano ideal para enviar naves de carga e preparar bases para uma nova missão.

Obtendo sucesso nessas missões, o próximo passo será a missão tripulada. O plano é enviar 2 naves com cargas, seguidas por 2 naves com tripulação, que seriam as primeiras pessoas a pisar em Marte. Mas essas pessoas não estariam por lá para turismo. Elas teriam o trabalho de montar uma instalação de produção de propulsores, combinando água marciana, gelo e dióxido de carbono para criar metano e oxigênio líquido para abastecer as naves e retornar para a Terra. Os humanos baseados em Marte teriam o trabalho de coletar uma tonelada de gelo todos os dias para abastecer a instalação.

Os primeiros humanos provavelmente também terão que usar hidroponia movida a energia solar para alimentar as plantas e cultivar mais alimentos. Musk disse em uma entrevista em fevereiro de 2019 que a tecnologia que permite o crescimento de plantas sem solo já está sendo usada na Terra, e as mesmas técnicas podem ser aplicadas imediatamente em colônias em Marte.

O CEO da SpaceX previu que em 2025 a primeira colônia em Marte estaria tomando forma. Isso expandirá o trabalho deixado para trás pelos primeiros seres humanos. Paul Wooster, principal engenheiro de desenvolvimento de Marte da SpaceX, explicou que a ideia seria expandir, começar não apenas com um posto avançado, mas crescer em uma base maior, não apenas como na Antártica, mas realmente em uma vila, transformando-se em uma cidade e depois em várias cidades em Marte. As cidades maiores ofereceriam *habitats*, estufas, suporte à vida e permitiriam novos experimentos que ajudariam a responder a algumas das grandes questões sobre a vida em Marte.

Quando estivermos vivendo o ano de 2026, Marte estará mais uma vez próxima da Terra e será o momento de a SpaceX mandar mais espaçonaves para o Planeta Vermelho. Pelo menos é o que o Musk anda falando em sua conta no Twitter. Lá ele explicou que a SpaceX poderia usar 10 sincronizações orbitais para completar uma cidade até 2050. Com os planetas definidos para se alinhar em fevereiro de 2027, pode ser o momento certo para concluir outro lançamento.

Até o final da década de 2020, a SpaceX espera estar estabelecida em solo marciano. Elon Musk disse que há 70% de chan-

Marte, sonho de consumo de Elon Musk, em foto obtida pelo Telescópio Espacial Hubble, em 12 de maio de 2016.

Fonte: NASA and the Hubble Heritage Team (STScI/AURA)

ces de ele visitar Marte durante sua vida, talvez indo visitar essa tão sonhada colônia em desenvolvimento. Ou seja, tudo vai depender de como serão os primeiros assentamentos.

Mas vamos supor que tudo isso que a SpaceX está prometendo realmente se torne uma realidade e humanos passem a viver em colônias marcianas. Qual seria o próximo passo?

Ter bases bem estabelecidas em Marte pode ser o ponto de partida para missões mais audaciosas. Musk descreve sua nave StarShip como sendo um sistema de transporte interplanetário capaz de partir da Terra para qualquer lugar do Sistema Solar, à medida que são estabelecidos depósitos de propulsores ao longo do caminho.

Além de transformar a humanidade em uma civilização espacial, também poderia preservar as espécies. A presidente da SpaceX, Gwynne Shotwell, disse em abril de 2019: "Se algo acontecer à Terra, você precisa de seres humanos vivendo em outro lugar... Eu acho que são necessários múltiplos caminhos para a sobrevivência, e este é um deles".

Inovações tecnológicas estão surgindo de forma exponencial no mundo, computação quântica, inteligência artificial, ideias promissoras para uma propulsão mais eficiente rumo ao espaço. Até o final da década poderemos já ter alcançado uma forma de obter energia com muito mais eficiência: a fusão nuclear.

OLHA, EU, COMO UM SER DO PASSADO (E QUE, LOGICAMENTE, ESPERA ESTAR COMPARTILHANDO O FUTURO COM VOCÊS), TORÇO MUITO PARA QUE TODOS ESSES PLANOS DA SPACEX E DA NASA SE CONCRETIZEM NA DÉCADA DE 2020.

SE METADE DO QUE ELES PROMETEM SE TORNAR REAL, SERÁ UMA DÉCADA EMOCIONANTE. E TEM OUTRA COISA PARA SE PENSAR, ESTOU AQUI FALANDO DE PLANOS, COISAS QUE ESTÃO NO PAPEL E QUE IRÃO DIRECIONAR OS CIENTISTAS NOS PRÓXIMOS ANOS, MAS E AS SURPRESAS?

Seria uma forma inversa de se obter energia em relação ao que temos hoje (fissão nuclear); se alcançada, poderíamos gerar grandes quantidades de energia sem danos ao meio ambiente, seria revolucionário.

Tudo isso pode acabar acelerando a nossa exploração pelo Universo.

Outro ponto são as descobertas que ainda estão por vir. A sonda Mars 2020, que deve chegar a Marte em fevereiro de 2021, estará levando instrumentos que permitirão que ela procure por fósseis de algum tipo de vida antiga que possa ter existido no Planeta Vermelho. Fico aqui imaginando a grande repercussão na mídia e na comunidade científica caso essa sonda robótica confirme algo que buscamos saber há muito tempo: existiu (ou existe) vida em Marte? A confirmação de uma coisa como essa pode impulsionar os esforços para a conquista do Planeta Vermelho e além. Pensando em como o desenvolvimento de tecnologias tem dado passos largos, muitos especialistas começam a fazer suas apostas sobre onde estaremos daqui a vinte, trinta, cem anos ou além. Acompanhe-me, pois algumas projeções irão mexer com a sua imaginação.

ONDE ESTAREMOS NOS PRÓXIMOS 100, 200, 300 ANOS?

FAZER UM TRABALHO DE PROJEÇÃO REQUER CERTO CUI- dado, pois as chances de errar são inúmeras. Tem futurologista prevendo maravilhas que vão desde a cura do câncer ou do envelhecimento à conquista do Sistema Solar nos próximos séculos, mas para fazer previsões como essas, com base nas tecnologias e no conhecimento que temos hoje, tem que tirar da equação coisas como guerras, desastres naturais (ou não tão naturais assim) etc., ou seja, é necessária uma certa dose de otimismo.

Mas vamos supor que vamos ter sorte, e que iremos prosperar sem uma guerra ou epidemia global[*] para nos preocupar, até onde nossa curiosidade, aliada à tecnologia, irá nos levar?

DESTINO: PROXIMA CENTAURI

Em 24 de agosto de 2016, o Observatório Europeu do Sul (ESO) anunciou a descoberta de um exoplaneta – que recebeu o nome de Proxima B – orbitando a zona habitável da estrela Proxima Centauri, uma anã vermelha que se encontra a 4,2 anos-luz da Terra. A estrela Proxima Centauri, estando a essa distância, algo em torno de 40 trilhões de quilômetros da Terra, é a mais próxima do Sol. É, eu sei, o espaço é um grande vazio, existem distâncias enormes entre os objetos celestes, mas se um dia formos para algum sistema interestelar, o sistema de Proxima Centauri é o destino mais provável.

---

[*] No momento em que escrevi este capítulo, o coronavírus ainda não havia se espalhado pelo mundo, gerando uma pandemia. Agora, no trabalho de revisão, observo que os cronogramas das agências espaciais se mantiveram, como o lançamento da SpaceX/NASA em 30 de maio de 2020 e os lançamentos da Missão StarLink.

Mas existe um grande desafio a ser vencido para conseguir chegar até lá: velocidade.

Como você leu aqui, a Voyager 1 saiu do Sistema Solar e demorou 37 anos para conseguir essa incrível proeza, isso viajando a 17 km/s. Parece rápido, não?

Mas não seria rápido o suficiente para dar um pulo lá em Proxima Centauri.

Se fosse desenvolvida uma nave que viajasse a 17 km/s e ela fosse lançada em direção de Proxima Centauri, demoraria cerca de 70 mil anos para chegar lá. A tripulação chegaria lá pronta para ser exposta em um museu.

Mas pessoas como Anthony Freeman, do Laboratório de Propulsão a Jato da NASA (JPL), e Leon Alkalai, chefe do Escritório de Planejamento Estratégico, tentam imaginar como poderíamos superar essa barreira para ir mais além através do espaço profundo.

A ideia, que ainda está em suas fases iniciais, visa enviar uma missão até Proxima Centauri em 2069, ano em que a ida do homem à Lua completará 100 anos.

E, para isso, Freeman imagina uma espaçonave capaz de viajar a 10% da velocidade da luz. Nessa velocidade, chegaríamos ao sistema de Proxima Centauri em quarenta anos... É, pelo menos não chegaríamos lá como fósseis, e sim malucos. Mas a ideia obviamente não é mandar humanos para lá, qualquer um morreria de tédio, mas sim sondas que poderiam nos enviar as primeiras imagens feitas nesse sistema. Como os dados viajariam de volta para a Terra na velocidade da luz, receberíamos as imagens aqui após cerca de quatro anos.

Então vamos lá, acompanhe-me aqui nesta conta. A sonda partiria da Terra em 2069, certo? Se ela demorará cerca de quarenta anos para chegar lá, então estamos falando em 2109. Estando lá, a nave tira algumas fotos e manda para a Terra, imagens essas que chegariam aqui em quatro anos, então:

$$2069 + 40 = 2109$$
$$2109 + 4 = 2113$$

Isso nos deixa no ano de 2113! Ou seja, os cientistas e engenheiros que irão analisar os dados e imagens da sonda interestelar nem sequer nasceram; aliás, muitos não terão nascido quando a nave estiver sendo lançada!

Sem contar que os engenheiros que idealizaram a coisa toda já estarão mortos, inclusive este autor que vos escreve.

É de dar nó no cérebro uma coisa dessas, não é?

Mas, como eu disse, o projeto ainda está em seus estágios iniciais, nada do que temos hoje seria capaz de mandar uma nave para tão longe e em tão pouco tempo. Espera-se que talvez os avanços trazidos pela fusão nuclear, ou então uma técnica que seria baseada em explosões de matéria e antimatéria, possam resolver essa questão, mas as duas alternativas ainda estão em desenvolvimento.

E tem aquela opção de usar velas solares impulsionadas por feixes de laser sendo disparados da Terra ou do espaço; teoricamente falando, se a sonda for bem pequena, poderíamos chegar a até 20% da velocidade da luz. E a vantagem desse método em relação às duas alternativas que citei há pouco é que essa é uma tecnologia que já existe. As pessoas por trás desse método argumentam que, se tiverem um incentivo financeiro, a tecnologia seria capaz de realizar a missão interestelar.

Existem muitos críticos à proposta de Freeman, alguns acham teórico demais, e tem outros desafios a serem resolvidos, além da propulsão, como a navegação e a proteção da nave (lembre-se, os ins-

BOM, EXISTE GELO EM MARTE, MUITO ATÉ, E ESSES RESERVATÓRIOS DE GELO PODERIAM SER USADOS PARA CRIAR VAPOR DE ÁGUA.

trumentos da nave terão que durar até completar a viagem de quarenta anos). Mas, como eu disse, tecnologia é algo que evolui de maneira exponencial, então podemos ter novidades nos próximos anos que possam viabilizar uma empreitada tão ambiciosa como essa.

E MARTE?

Bom, como um passeio interestelar está um tanto complicado (pelo menos neste momento), o jeito é olhar a vizinhança mesmo. Como você leu aqui, Elon Musk tem planos ambiciosos para o Planeta Vermelho: sua ideia é estabelecer colônias de humanos por lá. Eis então que surge a questão: Marte poderia ser uma espécie de "Terra 0.2"?

Bom, para isso seria necessário "terraformar" Marte.

A terraformação é um processo de criação de um ambiente habitável ou semelhante à Terra em outro planeta. Há algum tempo, alguns cientistas projetaram que em um futuro distante, daqui a duzentos, trezentos anos ou além, poderíamos terraformar Marte. A solução para isso seria liberar gás de dióxido de carbono preso na superfície marciana para engrossar a atmosfera, agindo como um cobertor e aquecendo o planeta frio.

Mas tem um problema aí, Marte não retém dióxido de carbono suficiente para que possa ser devolvido para a atmosfera e assim aquecer o planeta. De acordo com um estudo recente patrocinado pela NASA, transformar o inóspito ambiente marciano em um lugar agradável para astronautas, onde poderiam explorar sem usar equipamentos de suporte para a vida, não é possível, pois exigiria uma tecnologia muito além de nossas capacidades atuais.

Embora a atmosfera de Marte hoje seja composta principalmente por dióxido de carbono, ela é fina e fria demais para suportar água líquida, que, como você já deve ter tatuado em seu cérebro, é um ingrediente essencial para a vida prosperar. Em Marte, a pressão atmosférica é inferior a 1% da pressão atmosférica terrestre, qualquer água em estado líquido na superfície de lá evaporaria ou congelaria mais rápido do que as breves aparições do saudoso Stan Lee nos filmes da Marvel.

Os proponentes da terraformação de Marte propõem a liberação de gases de várias fontes do Planeta Vermelho para engrossar a atmosfera e aumentar a temperatura até o ponto em que a água em estado líquido possa se estabilizar na superfície. Esses gases são chamados de "gases do efeito estufa". Nós aqui da Terra temos certos problemas com eles, mas em Marte eles poderiam ajudar a tornar o lugar mais aconchegante. Como lá é muito frio, o efeito estufa poderia reter o calor e aquecer o clima.

Embora os estudos que investigam a possibilidade de terraformação de Marte já tenham sido feitos antes, pesquisas mais recentes tiraram proveito de cerca de vinte anos de observações feitas por naves espaciais em Marte. Os dados proporcionaram uma atualização em nosso entendimento sobre materiais facilmente vaporizados (os voláteis), como o CO_2 e H_2O no planeta, a abundância de produtos voláteis presos na superfície e abaixo dela, e a perda de gás a partir da atmosfera.

Em resumo, não há CO_2 suficiente para fornecer um aquecimento por meio do efeito estufa, sem contar que a maior parte do gás CO_2 não é acessível e seria muito difícil realizar sua mobilidade. Resultado: terraformação de Marte não é possível, pelo menos usando a tecnologia que temos hoje.

Bom, existe gelo em Marte, muito até, e esses reservatórios de gelo poderiam ser usados para criar vapor de água. Análises anteriores mostraram que a água sozinha não poderia fornecer um aquecimento muito eficiente, as temperaturas não permitem que água suficiente persista como vapor sem antes ter um aquecimento significativo por CO_2. Além disso, embora outros gases, como a introdução de clorofluorcarbonetos ou outros compostos com base de flúor, tenham sido propostos para ajudar a elevar a temperatura atmosférica, eles têm vida curta e exigiriam processos de fabricação em larga escala. É, está cada vez mais complicado para o Planeta Vermelho.

Outras opções foram estudadas, como liberar CO_2 ligado a partículas de poeira do solo marciano, que poderiam ser aquecidas para liberar o gás, mas não seria nada prático. Ou então importar voláteis, redirecionando cometas e asteroides para atingir Marte, mas os cientistas calculam que seriam fundamentais milhares de impactos para poder obter a quantidade de voláteis necessários, e você tem que concordar comigo, isso seria tão trabalhoso e demorado que não sei nem se seria algo inteligente de se fazer.

Pode ser que no ano de 2100, ou 2200, tenhamos bases humanas em Marte, existem vários esforços com esse objetivo, mas nada de sair correndo em solo marciano, sentindo vento nos cabelos, ou empinar pipa olhando para aquele céu avermelhado. Pelo menos hoje (e por muito tempo) não temos como emular o ambiente da Terra em Marte. As bases marcianas serão muito provavelmente lugares com ambiente controlado, arrisco dizer que subterrâneos, para escapar da radiação solar. Quem for para lá, inicialmente não será para morar ou desfrutar de férias. Acredito que lá será o local para muita pesquisa, para entender se Marte teve vida, compreender um pouco mais sobre a origem do Sistema Solar; e também poderá servir como uma "escala" para missões mais distantes, rumo ao Sistema Solar externo.

Mas, convenhamos, Marte é legal e tal, porém até o momento ele se apresentou como um lugar extremamente inóspito e hostil para humanos. Falamos muito dele porque ele está relativamente perto (Vênus é próximo, mas, enquanto Marte é gelado, lá é um inferno; lembra-se do que aconteceu com as sondas Venera?).

Ao meu ver, existe um mundo mais interessante a ser explorado no futuro, um mundo com montanhas, lagos e até uma espessa atmosfera, e não precisaríamos ter que "fabricar" uma para nos proteger da radiação. A curiosidade bateu forte aí, né?

Eu estou me referindo à Lua Titã, de Saturno.

UMA LIBÉLULA SOBREVOANDO UM TITÃ

No ano de 2034, uma missão chamada Dragonfly deve pousar em um destino bem interessante no nosso bom e velho Sistema Solar, um mundo complexo e orgânico chamado Titã. Dragonfly também é o nome em inglês daquele simpático inseto, a libélula (que me amedrontava quando criança, já que no bairro onde morei o chamavam de fura-olho, e, sempre que via um, eu cobria os olhos e saía correndo com medo de acabar cego). Pois bem, a missão visa explorar alguns locais nessa lua gelada do planeta Saturno. A nave, que é como um drone, pois possui hélices, irá voar por dezenas de locais promissores em Titã, à procura de processos químicos prebióticos parecidos com o que vemos na Terra. O Dragonfly é a estreia da NASA no controle de um veículo multirrotor para fazer ciência em outro mundo. Dragonfly possui 8 rotores e voa como se fosse uma abelha gigante. Ele aproveitará a densa atmosfera de Titã, 4 vezes mais densa do que a da Terra, para se tornar o primeiro veículo a voar com toda a sua carga científica para novos lugares, com acesso repetitivo e direcionado a materiais na superfície.

Arte conceitual da NASA mostrando o pouso do Dragonfly (à direita), e, em seguida, o voo da espaçonave em Titã (à esquerda).

Fonte: NASA.

Quando falei que achava Titã mais interessante do que Marte, eu não estava brincando, ela é uma espécie de mundo análogo à Terra primitiva e pode fornecer pistas de como a vida deve ter surgido por aqui. Durante sua missão de 2,7 anos (que pode ser estendida, já que essas sondas adoram hora extra), o Dragonfly irá explorar diversos ambientes, desde dunas orgânicas até o chão de uma cratera de impacto, onde água líquida e materiais orgânicos complexos, essenciais para a vida, já existiam juntos por possivelmente dezenas de milhares de anos. Seus instrumentos estudarão até que ponto a química prebiótica pode ter progredido. Também serão investigadas as propriedades atmosféricas e de superfície da lua, assim como seus reservatórios oceânicos e dos líquidos subterrâneos. Seus instrumentos buscarão evidências químicas de vidas passadas, ou mesmo alguma vida que possa existir hoje por lá.

E aí, concorda comigo que Titã é muito mais interessante do que Marte? É quase como visitar a Terra no seu passado remoto, e ainda existe muito mais chances de encontrar vestígios de vida!

Com base nos treze anos de missão da sonda Cassini, os engenheiros da missão podem escolher um período mais calmo e seguro para o pouso, assim como metas científicas interessantes. A ideia é

SELK É UM LUGAR QUE POSSUI EVIDÊNCIAS DE ÁGUA LÍQUIDA DO PASSADO, ORGÂNICOS – MOLÉCULAS COMPLEXAS QUE CONTÊM CARBONO, COMBINADAS COM HIDROGÊNIO E NITROGÊNIO – E ENERGIA, QUE, JUNTOS, FORMAM A RECEITA PARA A VIDA ACONTECER.

pousar o Dragonfly nos campos equatoriais das dunas de "Shangri-La", que são assustadoramente semelhantes às dunas lineares da Namíbia, na África Austral, e oferecem um local de colheita de amostras bem diversificado. O Dragonfly irá explorar essa região em voos curtos, construindo uma série de voos mais longos, que irão ultrapassar 8 quilômetros do solo, parando ao longo do caminho para colher amostras de áreas que sejam atraentes e com uma geografia diversa. Finalmente chegará à cratera de impacto Selk (incrível pensar que muitos lugares em Titã já têm nome e eu não consegui pensar em um nome mais original para meu canal do YouTube, então acabei recorrendo ao "Canal do...", mas enfim). Selk é um lugar que possui evidências de água líquida do passado, orgânicos – moléculas complexas que contêm carbono, combinadas com hidrogênio e nitrogênio – e energia, que, juntos, formam a receita para a vida acontecer.

Thomas Zurbuchen, diretor de ciência da NASA, comentou sobre quão grandiosa essa missão pode ser:

> "TITÃ É DIFERENTE DE QUALQUER OUTRO LUGAR DO SISTEMA SOLAR, E O DRAGONFLY NÃO É UMA MISSÃO QUALQUER. É NOTÁVEL PENSAR NESSE HELICÓPTERO VOANDO MILHAS E MILHAS ATRAVÉS DAS DUNAS DE AREIA ORGÂNICA DA MAIOR LUA DE SATURNO, EXPLORANDO OS PROCESSOS QUE MOLDAM ESSE AMBIENTE EXTRAORDINÁRIO. O DRAGONFLY VISITARÁ UM MUNDO CHEIO DE UMA GRANDE VARIEDADE DE COMPOSTOS ORGÂNICOS, QUE SÃO OS BLOCOS DE CONSTRUÇÃO DA VIDA E PODEM NOS ENSINAR SOBRE A ORIGEM DA PRÓPRIA VIDA".

SOMOS CURIOSOS, E ACREDITO QUE, ASSIM COMO EU, VOCÊ DEVE IMAGINAR QUÃO INCRÍVEL SERIA PODER VISITAR OUTROS MUNDOS, APRECIAR UM PÔR DO SOL EM UM CENÁRIO EXÓTICO E EXTRATERRESTRE, MAS REES ACREDITA QUE TEREMOS QUE VER ISSO PELOS OLHOS DIGITAIS DE ROBÔS.

Olha, sei que ainda faltam alguns anos, mas estou desde já muito empolgado com a missão. Quando ela pousar em Titã, eu estarei no auge dos meus 54 anos, um meninão ainda.

Agora que você chegou aqui, deve ter percebido um padrão: as sondas que enviamos para o espaço levam cinco, dez ou mais anos para saírem do papel, tomar forma e serem lançadas ao espaço, e, dependendo de seu destino, a nave leva outros cinco, dez, ou mesmo quarenta anos (no caso das Voyagers) para chegar a destinos distantes e fazer sua ciência. Olhe como o mundo mudou desde que lançamos as Voyagers para o espaço. Hoje sua tecnologia é obsoleta, não só dela, mas de outras sondas importantes, como Cassini e Galileu. Hoje temos instrumentos que não existiam na época em que essas espaçonaves foram concebidas. As próximas sondas e robôs irão se beneficiar de toda uma tecnologia nova, pois a evolução da tecnologia é... exponencial.

E daqui a dez, quinze anos, a tecnologia que estamos usando será obsoleta. Com a computação quântica e a fusão nuclear no horizonte, como se dará a exploração do espaço?

O FUTURO

Caras como Martin Rees, do Instituto de Astronomia de Cambridge, no Reino Unido, possuem uma visão bem otimista do futuro da exploração espacial; para ele, até o ano de 2100 teremos deixado nossas sondas e robôs em todo o Sistema Solar. Luas, planetas, alguns asteroides, tudo será mapeado e catalogado. Ele imagina que iremos minerar asteroides e outros objetos celestes, e fabricar coisas a partir desta matéria-prima.

Somos curiosos, e acredito que, assim como eu, você deve imaginar quão incrível seria poder visitar outros mundos, apreciar um pôr do sol em um cenário exótico e extraterrestre, mas Rees acredita que teremos que ver isso pelos olhos digitais de robôs. No futuro, eles serão mais eficientes, menores e capazes de construir equipamentos sozinhos. E como em um roteiro de ficção científica, o Sistema Solar será dominado pelas máquinas.

E se pararmos para pensar, faz sentido, pois, além de ser mais caro bancar viagens com tripulação para destinos além da Lua, esse seria um empreendimento do qual se teria que aceitar grandes riscos. Agências governamentais teriam receio de arriscar vidas humanas que seriam lançadas rumo ao espaço profundo.

Mas o nosso instinto explorador fará com que muitos se tornem voluntários para missões sem a certeza de sucesso, bancadas pela iniciativa privada. Lembre-se, há pessoas pagando para a SpaceX para realizar um voo orbital em torno da Lua. Se conseguirmos viabilizar um transporte mais seguro e rápido nas próximas décadas, acho plausível um dia sermos capazes de realizar empreitadas audaciosas que visem ao desembarque humano em Ganímedes e Europa – luas de Júpiter – ou em Titã – lua de Saturno.

Mas e além dos limites do Sistema Solar? Seremos capazes de nos tornarmos seres interestelares algum dia?

O problema desse tipo de viagem é que, diferentemente do que vemos na saga *Star Wars*, não temos uma Millennium Falcon que consegue viajar à velocidade da luz. Dan Batcheldor, professor e chefe do Departamento de Ciências Aeroespaciais da STEM University, é categórico:

"As viagens na velocidade da luz estão fora de questão".

Ele explica que apenas os fótons, pacotes de luz, podem viajar nessa velocidade. Qualquer coisa que possua massa, à medida que acelera e atinge uma velocidade muito alta, tipo 10 mil km/s, precisa deixar

EM 2100, SE HOUVER ALGUM TIPO DE INTELIGÊNCIA QUE IRÁ INVESTIGAR O ESPAÇO INTERESTELAR, SERÁ A INTELIGÊNCIA ARTIFICIAL.

para trás as ideias newtonianas e a Teoria da Relatividade Geral de Einstein, ou como diria um narrador esportivo: "A física não permite".

Como já disse, uma viagem com uma tripulação humana para os confins do espaço profundo, com a tecnologia que temos hoje, duraria mais tempo do que os viajantes poderiam viver. E mesmo que um dia um veículo que chegue próximo à velocidade da luz esteja disponível, não podemos prever os perigos biológicos para os seres vivos que viajarem tão depressa.

É, parece que para a conta fechar teríamos que tirar os humanos da equação.

E existe mais um problema para nós, humanos. Pensar em velocidade da luz já nos dá aquela ideia de algo extremamente rápido, certo? Mas quando pensamos em escalas cósmicas, a velocidade da luz é algo muito lento. É estranho falar assim, mas vou dar um exemplo: uma viagem para Proxima B demoraria quatro longos anos indo nessa velocidade (aproximadamente 300 mil km/s), oito anos, caso você queira retornar para a Terra para contar o que viu por lá.

Outro exemplo, se você pegasse uma hipotética nave que chegasse próximo à velocidade da luz e resolvesse cruzar de ponta a ponta a Via Láctea, nossa galáxia, essa viagem demoraria 100 mil anos, ou seja, vendo dessa maneira, a velocidade da luz não parece ser tão rápida assim.

Ir para outra galáxia, então, beira o impossível para nós, humanos. A galáxia de Andrômeda encontra-se a 2,5 milhões de anos-luz da Via Láctea, e ir até lá viajando na velocidade da luz demoraria mais do que o tempo que o *Homo sapiens* viveu na Terra.

Mas será que não existiria outra forma de fazer viagens longas pelo espaço?

Existem algumas ideias e todas moram no campo especulativo. Uma delas diz respeito ao uso de uma tecnologia ramjet para "absorver" o hidrogênio do espaço e usá-lo como combustível. E tem a ideia do motor de dobra espacial, que, em teoria, nos possibilitaria viajar em velocidades maiores que a da luz, já que, na verdade, o que estaria sendo acelerado seria o espaço, e não a espaçonave. É um conceito bem complexo, mas vou tentar resumir aqui.

A ideia é construir um objeto em forma de esfera que ficaria localizado no meio da nave espacial, em torno do qual haveria uma espécie de anel que iria se movimentar de tal forma que seria possível contrair e expandir o espaço ao seu redor, resultando em uma bolha de dobra do espaço em volta da espaçonave. Quem assistia à série *Star Trek* deve estar familiarizado com esse conceito.

A bolha de dobra movimentaria o espaço ao redor da nave, mais ou menos como se ela estivesse passando por algo bastante apertado. Com isso, o movimento de expansão do espaço localizado atrás da bolha seria capaz de movimentar a nave a velocidades absurdas através do Universo.

Mas para viabilizar esse trambolho todo seriam necessárias muita massa e muita energia, em uma proporção que está além de nossas capacidades.

Então, se não ocorrer nenhum milagre da tecnologia, a exploração humana nos próximos séculos estará restrita aos planetas e luas do Sistema Solar. Mesmo que a humanidade consiga desenvolver meios mais eficientes de propulsão, seja com energia nuclear, aniquilação de matéria-antimatéria ou pressão por raios lasers gigantes, a velocidade da luz é lenta para as gigantescas escalas do Universo. A não ser pelo envio de sondas não tripuladas, amostras de nosso DNA etc., estamos fadados a ficar aqui nessa região do cosmos.

Talvez isso seria possível para os seres pós-humanos de um futuro muito distante, que, segundo alguns futurologistas, como Ray Kurzweil – autor e funcionário do Google, onde trabalha em projetos que envolvem aprendizado de máquina e processamento de linguagem – seriam seres inevitáveis, levando em conta a forma como a tecnologia avança. Para ele, os seres "pós-humanos" poderão ser criaturas orgânicas, ou *cyborgs*, que poderão vencer a batalha contra a morte ou ser submetidos a técnicas de hibernação ou animação suspensa; um ser assim poderia se sujeitar a uma viagem de milhares de anos.

Cérebros não biológicos podem ir além de nossas limitações, espalhando-se mais facilmente pelo Universo. A inteligência artificial poderá ser o tipo de inteligência predominante no Sistema Solar. E além, segundo Kurzweil, até 2050 a singularidade tecnológica chegará, a inteligência artificial excederá a dos humanos e se tornará a "vida" mais inteligente da Terra.

Em 2100, se houver algum tipo de inteligência que irá investigar o espaço interestelar, será a inteligência artificial.

A inteligência artificial será a nossa criatura, um reflexo e fruto das ânsias humanas, e um aprimoramento de nossa capacidade de perceber o mundo ao nosso redor.

➤ Não sei dizer se uma máquina dotada de inteligência seria capaz de imaginar mundos e situações em seu cérebro eletrônico da mesma forma como o francês Júlio Verne concebeu seu livro *Da Terra à Lua*, de 1865, em que descreveu uma missão até a Lua. Não sei dizer também se as máquinas terão a capacidade de se inspirar no trabalho de outra, da mesma forma que Verne influenciou Goddard, que mirou a Lua como nas histórias de ficção que embalaram sua juventude.

São ideias e sentimentos que soam tão humanos, que fica difícil associá-los às máquinas. Mas não creio que seja impossível.

O ser humano evoluiu para se tornar um ser dotado de curiosidade. Somos exploradores por natureza e queremos respostas

DE ONDE VIEMOS?
QUAL É A ORIGEM
DAS COISAS?
QUAL É O NOSSO
LUGAR NO
UNIVERSO?
QUEM SOMOS?

desde o momento em que aprendemos a formular a primeira pergunta, ainda na primeira infância.

E serão essas características que nos farão seres do Sistema Solar, e não mais terrestres. Prevejo que em um ou dois séculos teremos humanos nascendo na Lua, em Marte, nos sistemas de Júpiter e Saturno.

Parece exagero?

Se você voltar às primeiras páginas deste livro, verá quão arcaicos eram os meios que tínhamos para lançar projéteis para os céus, e, em menos de um século de exploração espacial, estávamos controlando robôs em outro planeta daqui da Terra, coisas que, se descritas para alguém que vivia em 1920, soariam exageradas e impossíveis. Seria bem provável que essa pessoa dissesse: "Um robô em Marte? E controlado daqui da Terra? Isso é pura ficção!".

Bom, sabemos que não é ficção. No momento em que estou escrevendo, a sonda japonesa Hayabusa-2, após pousar no asteroide Ryugu, está viajando rumo à Terra trazendo amostras do asteroide, amostras estas que podem nos ajudar a entender melhor as origens do Sistema Solar.

Muito do que consumimos no gênero da ficção científica acaba influenciando a criação de equipamentos e a superação de desafios. Em 1945, o escritor britânico de ficção científica Arthur C. Clarke, conhecido pelo clássico *2001: uma odisseia no espaço,* previu corretamente a invenção de satélites, com o primeiro sendo lançado no ano de 1958. Clarke também previu que um humano aterrissaria na Lua, para em seguida retornar em segurança para a Terra.

Em 1973, Clarke previu que no futuro os humanos seriam capazes de monitorar ameaças vindas do espaço, como asteroides e outros objetos, e hoje a NASA mantém um Programa de

Observação de Objetos Próximos à Terra, que teve seus trabalhos iniciados em 1998.

E uma das coisas que ele previu foi que em 2021 já teríamos uma missão tripulada até Marte; ele pode ter errado a data, mas uma missão tripulada ao Planeta Vermelho está no radar das agências governamentais e da iniciativa privada. Não é mais uma questão de *se* vamos, e sim *quando* vamos para Marte.

Então, quando você for ao cinema ou assistir a alguma série de ficção na Netflix, pode estar vendo algumas ideias que podem pular da ficção para a nossa realidade um dia.

Alcançamos um grau surpreendente de engenharia e tecnologia, inimagináveis para aqueles que idealizaram os primeiros foguetes. Somos capazes de ver e ouvir o cosmos, de entender como as estrelas nascem, evoluem e morrem, e estamos cada vez mais nos localizando dentro deste Universo, mapeando a galáxia com o Gaia, investigando o espaço além do Sistema Solar com as Voyagers.

Se a humanidade não causar seu próprio fim por ganância e estupidez (e existe uma grande possibilidade de isso acontecer, mas sejamos otimistas), o nosso céu azul terrestre será apenas um dos mais variados céus que a nossa espécie irá contemplar.

E quanto mais longe nós chegarmos, mais iremos decifrar os mistérios que permeiam nossas indagações filosóficas e existenciais mais intrínsecas ao nosso ser:

De onde viemos? Qual é a origem das coisas?

Qual é o nosso lugar no Universo?

Quem somos?

Se queremos nos perpetuar como espécie, nosso destino é o céu. A humanidade cresce de maneira a tornar o planeta cada vez menor e mais apertado. Então será inevitável que procuremos nos estabelecer em outros lugares do Sistema Solar.

Paramos de dar passos e agora ensaiamos saltos cada vez mais altos em nossa aventura exploratória.

Eu e você seremos os ancestrais daqueles que se espalharão pelo Universo.

SE QUEREMOS
NOS PERPETUAR
COMO ESPÉCIE,
NOSSO DESTINO
É O CÉU.

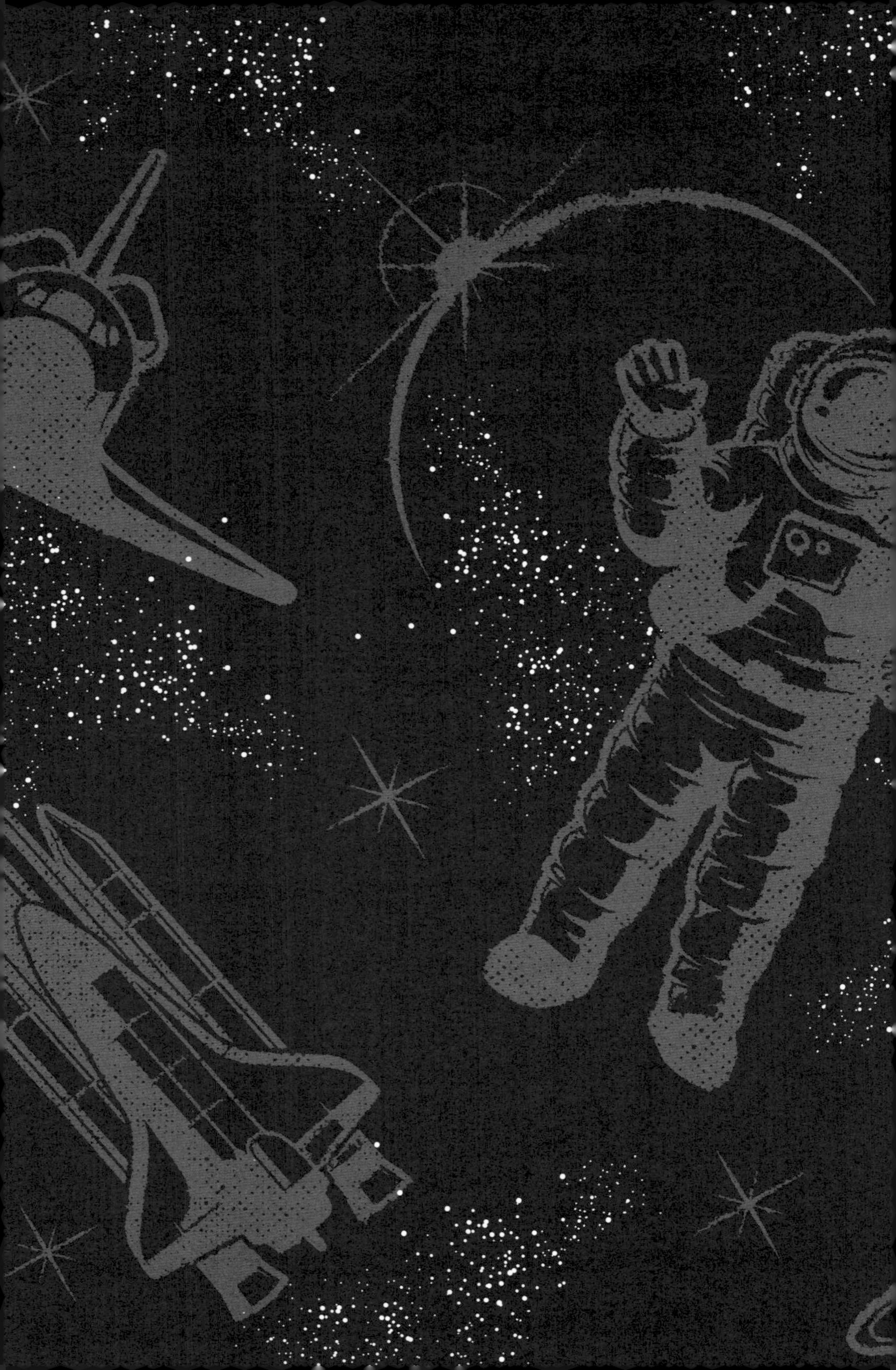

AGRADECIMENTOS

UM DOS MEUS SONHOS QUE TIVE O PRAZER DE VER SE tornarem realidade foi a publicação, em 2018, da obra *Do átomo ao buraco negro*, pelo selo Outro Planeta. Foi uma experiência incrível da qual até hoje colho frutos e aprendizado.

E aqui estou eu, mais uma vez, escrevendo um livro. Então meu primeiro agradecimento vai para a Planeta e para o meu editor Felipe Brandão por confiarem mais uma vez no meu trabalho, dando-me a oportunidade de dividi-lo com vocês, leitores.

Aliás, meu segundo agradecimento é justamente para vocês, caros leitores, que adquiriu estas páginas por acreditar que sou um divulgador científico digno de suas preciosas horas de leitura.

Agradeço também ao meu parceiro nesta jornada, o professor Ramachrisna Teixeira, astrofísico e membro da SAB e ESA, que revisou mais uma vez o meu trabalho. Sem o apoio do Rama, eu não me sentiria seguro o suficiente para levar este projeto adiante.

Agradeço ao meu amigo Salvador Nogueira, que dividiu comigo suas experiências como autor de 11 livros e me deu conselhos valiosos.

Agradeço aos meus amigos da SAB, Dr. Reinaldo de Carvalho, Dr. Gustavo Rojas e Dr. João Canalle.

E não posso deixar de agradecer aos mais de 1,1 milhão de seguidores em minhas redes sociais. Se eu estou publicando um segundo livro, é porque vocês confiam no meu trabalho e me apoiam toda vez que eu tento me aventurar por uma nova mídia. Eu nunca teria publicado sequer o primeiro livro se não fosse por vocês, então serei eternamente grato a todos.

E, por último, mas não menos importante, quero agradecer a minha maior parceira nesta jornada, Beatriz, minha esposa, pessoa que me ajuda a tomar as decisões mais importantes em relação ao meu trabalho no YouTube e além. Decisões para as quais não pedi seu conselho muitas vezes resultaram em dores de cabeça. Sua visão e ponderação foram peças fundamentais para eu chegar aonde cheguei. Se não fosse sua criatividade, eu estaria até hoje falando para minha audiência com um cenário feito de pôsteres colados em uma parede. E foi ela a primeira pessoa que apoiou a ideia do tema para *Onde estaremos em 2200?*.

Eu acredito que somos a soma de tudo que colhemos das demais pessoas que passaram por nossas vidas, e a porcentagem mais significativa e produtiva dessa soma de experiências que vos escreve pertence a Beatriz. A ela eu dedico este livro.

A vida é um passeio. Procure as melhores janelas e aprecie a paisagem!

Hastá!

FONTES DE PESQUISA

Devido à quantidade de páginas que são criadas ou retiradas do ar diariamente, alguns destes links podem estar fora do ar, dependendo da data em que forem acessados.

1960s: FROM Dream to Reality in 10 Years. *National Aeronautics and Space Administration (NASA)*, 29 jun. 2012. Disponível em: https://www.nasa.gov/centers/kennedy/about/history/timeline/60s-decade.html.

1P/HALLEY. *National Aeronautics and Space Administration (NASA)*, 19 dez. 2019. Disponível em: https://solarsystem.nasa.gov/asteroids-comets-and-meteors/comets/1p-halley/in-depth/.

ABOUT - HUBBLE History Timeline. *National Aeronautics and Space Administration (NASA)*, 6 abr. 2020. Disponível em: https://www.nasa.gov/content/goddard/hubble-history-timeline.

ABOUT - THE Hubble Story. *National Aeronautics and Space Administration (NASA)*, 4 jun. 2020. Disponível em: https://www.nasa.gov/content/the-hubble-story.

ALEXANDER, Harriet; HORTON, Helena. Elon Musk sends Tesla car to Mars on SpaceX rocket. *The Telegraph*, 6 fev. 2018. Disponível em: https://www.telegraph.co.uk/news/2018/02/06/tech-giant-elon-musk-send-car-mars-aboard-worlds-powerful-rocket/.

ANOS 50. *Toda Matéria*, s. d. Disponível em: https://www.todamateria.com.br/anos-50/.

ANOS 70. *Toda Matéria*, s. d. Disponível em: https://www.todamateria.com.br/anos-70/.

APOLLO. Space Porgram. *Encyclopaedia Britannica*, s. d. Disponível em: https://www.britannica.com/science/Apollo-space-program.

ARTIST'S IMPRESSION of Gaia. *The European Space Agency*, 8 jan. 2013. Disponível em: https://www.esa.int/ESA_Multimedia/Images/2013/08/Artist_s_impression_of_Gaia2.

BROWN. Mike. SpaceX: Here's the Timeline for Getting to Mars and Starting a Colony. *Inverse*, 3 jul. 2019. Disponível em: https://www.inverse.com/article/51291-spacex-here-s-the-timeline-for-getting-to-mars-and-starting-a-colony.

CASSINI IMAGES. *National Aeronautics and Space Administration (NASA)*, s. d. Disponível em: https://www.nasa.gov/mission_pages/cassini/images/index.html.

CASSINI OVERVIEW. *National Aeronautics and Space Administration (NASA)*, 3 ago. 2017. Disponível em: https://www.nasa.gov/mission_pages/cassini/whycassini/index.html.

CHALLENGER IMAGE. *National Aeronautics and Space Administration (NASA)*, s. d. Disponível em: https://www.nasa.gov/sites/default/files/thumbnails/image/61a-s-0139.jpg.

CHRISTA MCAULIFFE. Biography. *Biography.com*, 2 abr. 2014. Disponível em: https://www.biography.com/astronaut/christa-mcauliffe.

CLINE, Seth. Voyager 1 Enters Interstellar Space. *USNews*, 12 set. 2013. Disponível em: https://www.usnews.com/news/newsgram/articles/2013/09/12/voyager-1-enters-interstellar-space.

COMET SHOEMAKER-Levy 9 Fragment W Impact With Jupiter. *NASA Jet Propulsion Laboratory*

(JPL). *California Institute of Technology*, 29 jan. 1996. Disponível em: https://www.jpl.nasa.gov/spaceimages/details.php?id=pia00139.

DÉCADA DE 1920. *In:* WIKIPEDIA. Disponível em: https://pt.wikipedia.org/wiki/D%C3%A9cada_de_1920.

DOMÍNGUEZ, Nuño. NASA estuda missão interestelar para 2069. *El País*, 5 jan. 2018. Disponível em: https://brasil.elpais.com/brasil/2018/01/02/ciencia/1514919058_767605.html.

DR. ROBERT H. Goddard, American Rocketry Pioneer. *National Aeronautics and Space Administration (NASA)*, s. d. Disponível em: https://www.nasa.gov/centers/goddard/about/history/dr_goddard.html.

DUNBAR, Brian. What is Artemis? *National Aeronautics and Space Administration (NASA)*, 25 jul. 2019. Disponível em: https://www.nasa.gov/what-is-artemis.

EUROPA CLIPPER. *NASA Jet Propulsion Laboratory (JPL). California Institute of Technology*, s. d. Disponível em: https://www.jpl.nasa.gov/missions/europa-clipper/.

FIRST IMAGE of Mars. *National Aeronautics and Space Administration (NASA)*, 23 mar. 2008. Disponível em: https://www.nasa.gov/multimedia/imagegallery/image_feature_910.html.

Flight Research Milestones 1940's - NACA High-Speed Flight Research Station. *National Aeronautics and Space Administration (NASA)*, 1 mar. 2016. Disponível em: https://www.nasa.gov/centers/dryden/history/milestones/40.html.

GAIA. *European Space Agency*, s. d. Disponível em: https://sci.esa.int/web/gaia.

GAIA'S SKY In Colour – Equirectangular Projection. *Space Agency*, 25 abr. 2018. Disponível em: https://sci.esa.int/web/gaia/-/60196-gaia-s-sky-in-colour-equirectangular-projection.

GHX COMUNICAÇÃO. Cápsula do Tempo. Infográfico. *Terra*, s. d. Disponível em: https://www.terra.com.br/noticias/infograficos/capsula-tempo/.

HAMILTON, Calvin J. Cronologia da Exploração Espacial. *Astronomia e Astrofísica – UFRGS*, s. d. Disponível em: http://astro.if.ufrgs.br/solar/craft1.html.

HISTORY OF Space Exploration. *Planetary Sciences, Inc.*, s. d. Disponível em: http://planetary-science.org/planetary-science-3/exploration-2/history-of-space-exploration/.

HOW OUR World Will Change by 2099 According to a Futurologist Whose Predictions Come True in 86% of Cases. *BrightSide.me*, s. d. Disponível em: https://brightside.me/wonder-curiosities/how-our-world-will-change-by-2099-according-to-a-futurologist-whose-predictions-come-true-in-86-of-cases-439810/.

HOWELL, Elizabeth . Chuck Yeager: First Person to Break the Sound Barrier. *Space.com*, 31 maio 2017. Disponível em: https://www.space.com/26204-chuck-yeager.html.

HOWELL, Elizabeth . Curiosity Rover: Facts and Information. *Space.com*, 17 jul. 2018. Disponível em: https://www.space.com/17963-mars-curiosity.html.

HOWELL, Elizabeth. Challenger: The Shuttle Disaster That Changed NASA. *Space.com*, 1 maio 2019. Disponível em: https://www.space.com/18084-space-shuttle-challenger.html.

HOWELL, Elizabeth. Columbia Disaster: What Happened, What NASA Learned. *Space.com*, 1 fev. 2019. Disponível em: https://www.space.com/19436-columbia-disaster.html.

HOWELL, Elizabeth. Gaia: Mapping a Billion Stars. *Space.com*, 28 jul. 2018. Disponível em: https://www.space.com/41312-gaia-mission.html.

HOWELL, Elizabeth. Kepler Space Telescope: The Original Exoplanet Hunter. *Space.com*, 7 dez. 2018. Disponível em: https://www.space.com/24903-kepler-space-telescope.html.

HOWELL, Elizabeth. NASA's James Webb Space Telescope: Hubble's Cosmic Successor. *Space.com*, 17 jul. 2018. Disponível em: https://www.space.com/21925-james-webb-space-telescope-jwst.html.

HOWELL, Elizabeth. NASA's Real 'Hidden Figures'. *Space.com*, 24 fev. 2020. Disponível em: https://www.space.com/35430-real-hidden-figures.html.

HOWELL, Elizabeth. New Horizons: Exploring Pluto and Beyond. *Space.com*, 10 jun. 2019. Disponível em: https://www.space.com/18377-new-horizons.html.

INTERSTELLAR MISSION. *NASA Jet Propulsion Laboratory (JPL). California Institute of Technology*, s. d. Disponível em: https://voyager.jpl.nasa.gov/mission/interstellar-mission/.

JUNO OVERVIEW. *National Aeronautics and Space Administration (NASA)*, 19 jun. 2018. Disponível em: https://www.nasa.gov/mission_pages/juno/overview/index.html.

JUPITER AND Io. *National Aeronautics and Space Administration (NASA)*, 9 out. 2007. Disponível em: https://solarsystem.nasa.gov/resources/803/jupiter-and-io/?category=planets_jupiter.

JUPITER FULL DISK with Great Red Spot. *NASA Jet Propulsion Laboratory (JPL). California Institute of Technology*, 13 mar. 1999. Disponível em: https://www.jpl.nasa.gov/spaceimages/details.php?id=PIA01509.

KEPLER BEAUTY Shot. *National Aeronautics and Space Administration (NASA)*, s. d. Disponível em: https://www.nasa.gov/sites/default/files/thumbnails/image/keplerbeautyshot.jpg.

KONSTANTIN E. Tsiolkovsky. *National Aeronautics and Space Administration (NASA)*, 22 set. 2010. Disponível em: https://www.nasa.gov/audience/foreducators/rocketry/home/konstantin-tsiolkovsky.html.

MAIN COLOR Mercury. *National Aeronautics and Space Administration (NASA)*, s. d. Disponível em: https://www.nasa.gov/sites/default/files/thumbnails/image/209132main_color_mercury_0.jpg.

MAIN SOLAR System. *National Aeronautics and Space Administration (NASA)*, s. d. Disponível em: https://www.nasa.gov/sites/default/files/images/517613main_solar_system_full.jpg.

MARINER 2. *National Aeronautics and Space Administration (NASA)*, 12 out. 2012. Disponível em: https://www.nasa.gov/multimedia/imagegallery/image_feature_964.html.

MARS EXPLORATION Rover – Spirit. *NASA Jet Propulsion Laboratory (JPL). California Institute of Technology*, s. d. Disponível em: https://www.jpl.nasa.gov/missions/mars-exploration-rover-spirit-mer-spirit/.

MARS EXPLORATION Rovers Overview. *National Aeronautics and Space Administration (NASA)*, s. d. Disponível em: https://mars.nasa.gov/mer/mission/overview/.

MARS PATHFINDER. *National Aeronautics and Space Administration (NASA)*, s. d. Disponível em: https://mars.nasa.gov/mars-exploration/missions/pathfinder/.

MCKEON, Albert. Deep Space Exploration Isn't a Far-Fetched Possibility. *Now Northrop Grumman*, 4 out. 2019. Disponível em: https://now.northropgrumman.com/deep-space-exploration-isnt-a-far-fetched-possibility/.

MESSENGER. *National Aeronautics and Space Administration (NASA)*, s. d. Disponível em: https://www.nasa.gov/mission_pages/messenger/main/index.html.

MISSION TO Mars. Mariner 4. *NASA Jet Propulsion Laboratory (JPL). California Institute of Technology*, s. d. Disponível em: https://www.jpl.nasa.gov/missions/mariner-4/.

MISSIONS CASSINI. *National Aeronautics and Space Administration (NASA)*, s. d. Disponível em: https://solarsystem.nasa.gov/missions/cassini/overview/.

MISSIONS GALILEO. *National Aeronautics and Space Administration (NASA)*, s. d. Disponível em: https://solarsystem.nasa.gov/missions/galileo/overview/.

MISSÕES A Vênus: a difícil tarefa de sobreviver na superfície. *Apollo11.com*, 23 abr. 2012. Disponível em: https://www.apolo11.com/noticias.php?t=Missoes_a_Venus_a_dificil_tarefa_de_sobreviver_na_superficie&id=20120423-093601.

MOSKOWITZ, Clara . Space Shuttle's Lasting Legacy: 30 Years of Historic Feats. *Space.com*, 7 abr. 2011. Disponível em: https://www.space.com/11320-space-shuttle-impact-history-anniversary.html.

NASA Jet Propulsion Laboratory (JPL). California Institute of Technology, s. d. Disponível em: https://www.jpl.nasa.gov/spaceimages/images/wallpaper/PIA11709-1280x1024.jpg.

National Aeronautics and Space Administration (NASA), s. d. Disponível em: https://www.nasa.gov/sites/default/files/thumbnails/image/51j-s-0010rig.jpg.

National Aeronautics and Space Administration (NASA), s. d. Disponível em: https://www.nasa.gov/sites/default/files/thumbnails/image/sts134-s-110orig.jpg.

National Aeronautics and Space Administration (NASA), s. d. Disponível em: https://www.nasa.gov/sites/default/files/thumbnails/image/pia23378-16.jpg.

NEAR SHOEMAKER. *National Aeronautics and Space Administration (NASA)*, 31 jul. 2018. Disponível em: https://solarsystem.nasa.gov/missions/near-shoemaker/in-depth/.

NORTHON, Karen. NASA Invests in Concept Development for Missions to Comet, Saturn Moon Titan. *National Aeronautics and Space Administration (NASA)*, 20 dez. 2017. Disponível em: https://www.nasa.gov/press-release/nasa-invests-in-concept-development-for-missions-to-comet-saturn-moon-titan.

NORTHON, Karen. NASA's Dragonfly Will Fly Around Titan Looking for Origins, Signs of Life. *National Aeronautics and Space Administration (NASA)*, 27 jun. 2019. Disponível em: https://www.nasa.gov/press-release/nasas-dragonfly-will-fly-around-titan-looking-for-origins-signs-of-life.

P/SHOEMAKER-Levy 9. *National Aeronautics and Space Administration (NASA)*, 19 dez. 2019. Disponível em: https://solarsystem.nasa.gov/asteroids-comets-and-meteors/comets/p-shoemaker-levy-9/in-depth/.

PIONEER 11 at Saturn. *National Aeronautics and Space Administration (NASA)*, 15 fev. 2018. Disponível em: https://solarsystem.nasa.gov/resources/722/pioneer-11-at-saturn/.

QUEM INVENTOU o avião? Santos Dumont ou os Irmãos Wright? *HiperCultura*, s. d. Disponível em: https://www.hipercultura.com/santos-dumont-ou-irmaos-wright/.

RAMOS, Jefferson Evandro Machado. Anos 40. *SuaPesquisa.com*, 20 set. 2019. Disponível em: https://www.suapesquisa.com/musicacultura/anos_40.htm.

RAMOS, Jefferson Evandro Machado. Os Anos 30. *SuaPesquisa.com*, 20 set. 2019. Disponível em: https://www.suapesquisa.com/musicacultura/anos_30.htm.

RAMOS, Jefferson Evandro Machado. Os Anos 50. *SuaPesquisa.com*, 18 set. 2017. Disponível em: https://www.todamateria.com.br/anos-50/.

RAMOS, Jefferson Evandro Machado. Os Anos 60. *SuaPesquisa.com*, 20 set. 2019. Disponível em: https://www.suapesquisa.com/musicacultura/anos_60.htm.

RAMOS, Jefferson Evandro Machado. Os Anos 90. *SuaPesquisa.com*, 20 set. 2019. Disponível em: https://www.suapesquisa.com/musicacultura/anos_90.htm.

REES, Martin. Interstellar Travel and Post-Humans. *OpenMind BBVA*, s. d. Disponível em: https://www.bbvaopenmind.com/en/articles/interstellar-travel-and-post-humans/.

REMEMBERING SPACE Shuttle Challenger. *National Aeronautics and Space Administration (NASA)*, 28 jan. 2019. Disponível em: https://www.nasa.gov/multimedia/imagegallery/image_gallery_2437.html.

ROBERT GODDARD: A Man and His Rocket. *National Aeronautics and Space Administration (NASA)*, 9 mar. 2004. Disponível em: https://www.nasa.gov/missions/research/f_goddard.html.

SHEETZ, Michael. The rise of SpaceX and the future of Elon Musk's Mars dream. *CNBC*, 20 mar. 2019. Disponível em: https://www.cnbc.com/2019/03/20/spacex-rise-elon-musk-mars-dream.html.

SIX THINGS to Know About NASA's Opportunity Rover. *National Aeronautics and Space Administration (NASA)*, 13 fev. 2019. Disponível em: https://mars.nasa.gov/news/8414/six-things-to-know-about-nasas-opportunity-rover/.

SPACE EXPLORATION Timeline. *Sea and Sky*, s. d. Disponível em: http://www.seasky.org/space-exploration/space-timeline-1971-1980.html.

SPACE SHUTTLE Era. *National Aeronautics and Space Administration (NASA)*, 3. Ago. 2017. Disponível em: https://www.nasa.gov/mission_pages/shuttle/flyout/index.html.

SPACEX.COM. Disponível em: https://www.spacex.com/about.

SPECIALS. ARTEMIS. *National Aeronautics and Space Administration (NASA)*, s. d. Disponível em: https://www.nasa.gov/specials/artemis/#time.

STEIGERWALD, Bill. Mars Terraforming Not Possible Using Present-Day Technology. *National Aeronautics and Space Administration (NASA)*, 30 jul. 2018. Disponível em: https://www.nasa.gov/press-release/goddard/2018/mars-terraforming.

STRICKLAND, Jonathan. How the Apollo Spacecraft Worked. *HowStuffWorks Science*, s. d. Disponível em: https://science.howstuffworks.com/apollo-spacecraft1.htm.

TELESCOPE AND Earth. *National Aeronautics and Space Administration (NASA)*, s. d. Disponível em: https://www.nasa.gov/sites/default/files/thumbnails/image/hubble_space_telescope_and_earth_limb_-_gpn-2000-001064.jpg.

THE SPACE Race. *History.com*, 22 fev. 2010. Disponível em: https://www.history.com/topics/cold-war/space-race.

THE VENERA Program: When Russia Went to Venus. *Cosmos Magazine*, 18 maio 2017. Disponível em: https://www.realclearscience.com/2017/05/18/the_venera_program_when_russia_went_to_venus_276251.html.

VALJAK, Domagoj. A Soviet Space Probe Reached the Moon 10 Years Before Apollo 11. *The Vintage News*, 19 mar. 2018. Disponível em: https://www.thevintagenews.com/2018/03/19/luna-2/.

VÉNUS (PLANETA). *In*: WIKIPEDIA. Disponível em: https://pt.wikipedia.org/wiki/V%-C3%A9nus_(planeta).

VOYAGER GOLDEN Record. *National Aeronautics and Space Administration (NASA)*, 4 dez. 2017. Disponível em: https://solarsystem.nasa.gov/resources/446/voyager-golden-record/.

VOYAGER. *NASA Jet Propulsion Laboratory (JPL). California Institute of Technology*, s. d. Disponível em: https://voyager.jpl.nasa.gov/frequently-asked-questions/fast-facts/.

WALL, Mike. By Jove! NASA Probe Arrives at Jupiter After 5-Year Trek. *Space.com*, 5 jul. 2016. Disponível em: https://www.space.com/33343-nasa-juno-spacecraft-arrives-jupiter.html.

WALL, Mike. Celebrating Cassini: NASA Saturn Probe Died 1 Year Ago Today. *Space.com*, 15 set. 2018. Disponível em: https://www.space.com/41845-cassini-death-at-saturn-one-year-anniversary.html.

WALL, Mike. NASA's James Webb Space Telescope Is Finally 100% Assembled. *Space.com*, 28 ago. 2019. Disponível em: https://www.space.com/nasa-james-webb-space-telescope-complete.html.

WEINGARDT, Richard G. Wernher von Braun and the Race to the Moon. *ASCE Library*, jan. 2012. Disponível em: https://ascelibrary.org/doi/full/10.1061/%28ASCE%29LM.1943-5630.0000162.

WILLIAMS, Dave; FRIEDLANDER, Jay. Venus - Venera 9 Lander. *National Aeronautics and Space Administration (NASA)*, 24 set. 2015. Disponível em: https://nssdc.gsfc.nasa.gov/imgcat/html/object_page/v09_lander_raw.html.

WILLIAMS, MATT . Finally! Voyager 2 is Now in Interstellar Space. *Universe Today*, 12 dez. 2018. Disponível em: https://www.universetoday.com/140850/finally-voyager-2-is-now-in-interstellar-space/.

WINTER, Frank H. How the "Suicide Squad" Turned Into One of the World's First Rocket Companies. *Air & Space Magazine*, 16 mar. 2017. Disponível em: https://www.airspacemag.com/daily-planet/how-suicide-squad-became-one-worlds-first-rocket-companies-180962548/.

WINTER, Frank H. The First Rocket Built for Space. *Air & Space Magazine*, 7 jun. 2018. Disponível em: https://www.airspacemag.com/daily-planet/first-rocket-built-space-180969273/.

**Acreditamos
nos livros**

Este livro foi composto em Lyon Text, Graphik e Futura Passata e impresso pela Geográfica para a Editora Planeta do Brasil em julho de 2020.